Paris
la balade des clochers

ISBN : 2-86665-405-6

Photographies de Michel Setboun

Paris
la balade des clochers

Texte de Pierre Guicheney

SOMMAIRE

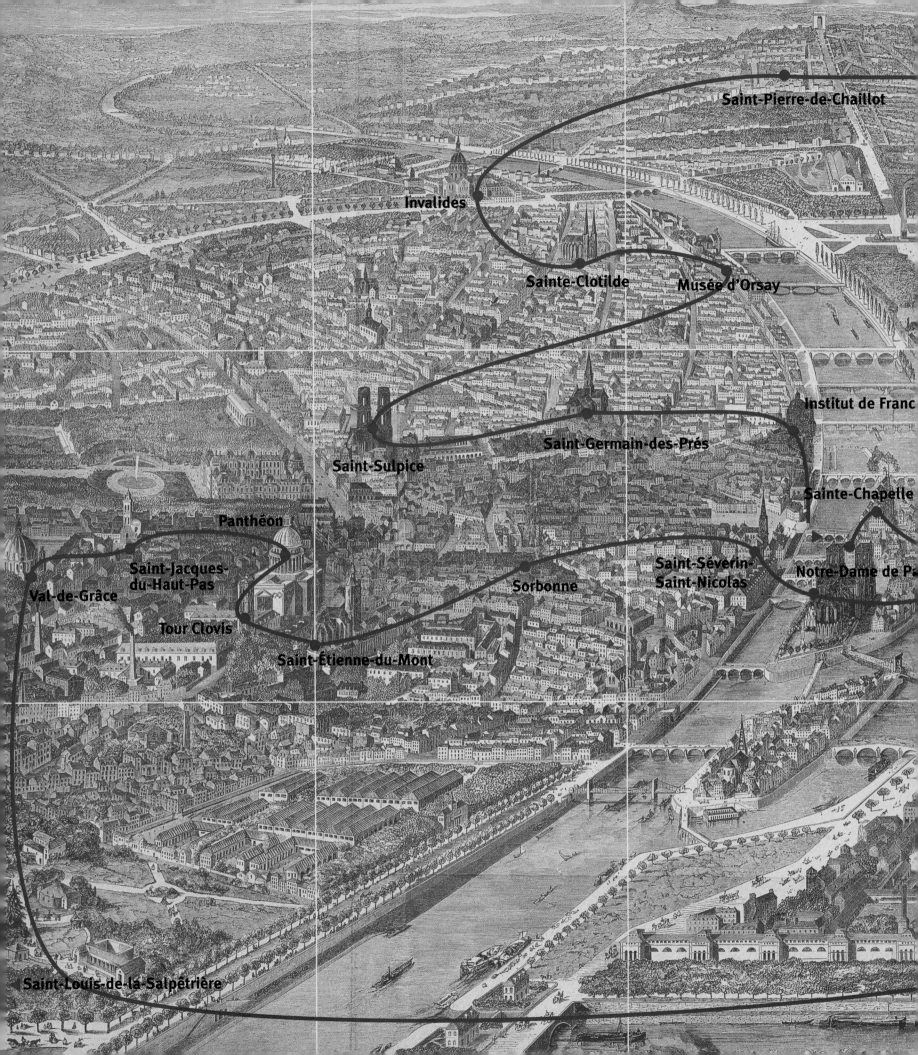

Me voilà enfin, tel Quasimodo sur son perchoir, surplombant la ville, dirigeant un ballet de gargouilles grimaçantes qui dansent sous l'éclairage des bateaux-mouches. Devant moi, parfaitement encadrés entre les deux tours de Notre-Dame de Paris, comme dans un théâtre, la Seine et Paris s'offrent en spectacle. Douze apôtres cernent la flèche de la cathédrale et nous

« Entre Dieu et les hommes... »

protègent. Tout autour, des statues sentinelles veillent sur la ville endormie. Ébloui par le décor et un peu étourdi par l'émotion, je me sens néanmoins épié. Dans mon dos, une statue, celle d'un apôtre, le seul qui tourne le dos à la ville, me regarde fixement dans la pénombre. Je m'approche : c'est Viollet-le-Duc qui, pour l'occasion, a pris les traits de saint Antoine ; il admire son œuvre, sa cathédrale, pour l'éternité. Cette nuit est l'aboutissement d'une étrange histoire avec, comme fil conducteur, *Notre-Dame de Paris*, le célèbre roman de Victor Hugo.

Je crois que c'est en regardant des gravures de Paris au Moyen Âge, dans mes livres d'écolier, que j'ai commencé à rêver de la capitale. Mes lectures d'enfance — Eugène Sue, Léo Malet, Tardi — achevèrent de me convaincre qu'un mystère entourait la ville. En grandissant, j'ai sillonné le monde en tous sens. Pays en guerre ou voyages extrêmes... j'avais besoin d'exaltation pour photographier. À chaque retour de reportage, je retrouvais ma ville avec bonheur, mais Paris manquait tout de même terriblement d'adrénaline et je peinais à y travailler. Puis j'ai côtoyé Robert Doisneau, Édouard Boubat, Willy Ronis à

l'agence Rapho. À cette époque, je ne pouvais imaginer entreprendre un travail sur Paris, tant ces photographes avaient marqué la ville de leur empreinte indélébile. Je me plongeais pourtant avec délice dans les livres de Doisneau, j'enviais son regard amusé sur la vie. Son Paris, nostalgique et disparu à jamais, me fascinait. Doisneau aimait la ville et détestait voyager ; au contraire, je préférais parcourir le monde, le plus loin possible.

C'est au cours d'un reportage, plus exactement une croisière en Méditerranée, que j'eus la « révélation ». Je relisais justement *Notre-Dame de Paris*. Alors que le paquebot quittait Venise par le grand canal, j'abandonnais quelques instants ma lecture pour admirer « la Sérénissime ». Du haut de ce mastodonte, nous étions à hauteur des clochers. Je n'avais jamais vu la ville sous cet angle ; je distinguais jusqu'aux moindres reliefs. Venise éclatait de poésie : bien loin de la froide beauté de la vue d'avion, c'était une vision magique et intimiste.

Je repris ma lecture ; au beau milieu de son intrigue, Victor Hugo, perché sur les tours de Notre-Dame, consacrait un chapitre entier à décrire Paris « à vol d'oiseau ». J'étais un peu surpris par la situation : voilà que l'écrivain décrivait le paysage qui, cent cinquante ans plus tard et quelque mille kilomètres plus loin, s'offrait à mon regard, précisément à cet instant : « C'était d'abord un éblouissement de toits, de cheminées de rues, de ponts, de place, de flèches, de clochers. Tout vous prenait aux yeux à la fois, la tour carrée et brodée de l'église, le grand, le petit, le massif, l'aérien, le regard se perdait longtemps à toute profondeur dans ce labyrinthe, où il n'y avait rien qui n'eut son originalité, sa raison, son génie, sa beauté ». Images et texte se télescopaient : le livre était devenu vivant.

De retour dans la capitale, piqué au vif par ma découverte, j'étais bien décidé à jouer les Quasimodo. À moi la tournée des clochers ! l'ascension des sommets de la ville par des voies secrètes ! Comme de nombreux Parisiens, j'aimais ma ville mais, habitué à vivre dans ces lieux imprégnés d'histoire, elle m'était devenue trop proche, trop quotidienne, pas assez exotique. Je n'y prêtais plus guère attention. Je devais retrouver cette curiosité perdue. Me mettre en position instable. Observer ma ville autrement. Tout était en place depuis des siècles, il n'y avait rien d'autre à inventer, juste un regard à renouveler.

Après mille démarches pour accéder à ces lieux habituellement interdits au public, j'entamai mon périple. Mes premières ascensions furent étonnantes. Pour atteindre les sommets, il faut gravir des escaliers minuscules et obscurs où règnent les pigeons ; puis, soudain, c'est la lumière éclatante, l'espace librement ouvert. Rien n'arrête le regard. Pas une voiture. Au milieu des creux et des bosses de la vieille cité, les monuments semblent tout proches. Dans le lointain, on distingue les buttes et les collines. Du haut des cam-

paniles, la ville respire enfin. À l'inverse d'une vue d'avion qui aplatit l'espace et arase les perspectives, tout semble apparaître en relief. Redécouverte « à l'envers », du dessus et non plus du dessous, elle devient déroutante, mystérieuse, inconnue. Le soir, sous le ciel immense, les clochers surgissent de la nuit, comme des phares qui éclairent l'océan des rues. On plane à mi-chemin « entre Dieu et les hommes ».

Certes depuis Victor Hugo, la religion a perdu sa place au cœur de la cité. La France est devenue un État laïc, et la majorité des monuments religieux de Paris appartiennent à la ville. Pourtant, dans sa volonté de domination, la société civile a voulu imiter le pouvoir religieux. Et il n'est guère de bâtiment important qui ne soit couronné d'un clocher ; l'Hôtel de ville et chacune des mairies offrent des perchoirs qui n'ont rien à envier aux églises.
Le point de vue exceptionnel offert par ces campaniles permet de réaliser à quel point la chrétienté a façonné la ville, ses contours, son architecture, son histoire. Les clochers quadrillent encore la capitale. Ils dépassent des toits, comme des bateaux sur la mer. Le patrimoine de l'Église est là, sous nos yeux, son histoire est gravée dans la pierre. Ainsi les Invalides, le Val-de-Grâce, anciennes églises militaires, sont toujours sous le contrôle du ministère des Armées, tandis que les hôpitaux de Paris gèrent l'héritage des confréries religieuses. Chaque hôpital abrite une chapelle, dont la plupart des malades d'aujourd'hui ne se soucient plus guère.

Chaque nouvelle escalade fut l'occasion d'une découverte. Du sommet du Panthéon, je remarquai, un peu ahuri, un cloître qui m'était totalement inconnu : c'est le Lycée Henri-IV, flanqué de la tour Clovis. Un autre jour, sur le toit d'une église, je découvris une maison perchée en plein cœur de Paris, nichée entre les arcs-boutants de l'abside ; son locataire prenait tranquillement le soleil sur la terrasse, juste devant sa porte, à vingt mètres au-dessus du bruit de la ville. En gravissant la tour Saint-Jacques, je reconnus enfin le *cardo*, l'ancienne voie nord sud de la Lutèce romaine. Ces chemins naturels sont devenus par la suite itinéraires religieux ; aujourd'hui, de l'église Saint-Laurent au nord, à la chapelle du Val-de-Grâce au sud, une dizaine d'églises bien alignées dessinent ainsi l'ancienne route de Compostelle. Un peu plus loin, la rue Saint-Denis conduisait les pénitents à la cathédrale des rois de France, au nord de Paris, en passant par Saint-Pierre-de-Montmartre.

Je continuais dans le même temps mes recherches sur l'en-haut... d'ici-bas. J'allais régulièrement au musée Carnavalet où, pour trouver l'inspiration, je me plongeais dans la contemplation de quelques tableaux qui montraient un Paris encore plus ancien. Au hasard d'une lecture, je découvrais que l'église de Bonne-Nouvelle était plantée sur un ancien tas d'ordures à l'endroit même où se trouvait sans doute la cour des miracles. Devant les gravures de Notre-Dame de Paris à moitié délabrée, je remerciais intérieurement Victor Hugo : en 1831, au moment où il écrit son roman, la flèche de la cathédrale avait disparu depuis long-temps et l'ensemble du bâtiment tombait en ruine. Pour sensibiliser ses contemporains et sauver la cathédrale, il rédige alors son livre réquisitoire, inci-tant l'architecte Viollet-le-Duc à restaurer le célèbre édifice. Avec son livre, les Parisiens prirent, pour un temps, conscience de l'importance de leur patri-moine. Même si cette mobilisation n'empêcha pas, quelques années plus tard, le baron Haussmann d'éventrer Paris et de raser sans vergogne le quartier médiéval au pied du sanctuaire ; des trente-deux églises de l'île de la Cité que l'on pouvait jadis aper-cevoir du haut de Notre-Dame, une seule, la Sainte-Chapelle, a survécu.

Quelques semaines plus tard, je m'attaquai enfin aux clochers des quartiers périphériques. Je m'attendais là aussi à de nouveaux étonnements. Ce fut au contraire une vraie déception : l'échelle de la ville s'y trouve traîtreusement bouleversée ; les toits, pom-peusement appelés « locaux techniques » ne sont plus couverts de tuiles ou de zinc, et les habitations s'élan-cent vers le ciel bien au-dessus des clochers.

Cette déconvenue me ramena avec d'autant plus de force vers Paris. Plus que jamais, j'avais envie de revenir au cœur de la cité pour retrouver son âme oubliée. De gravir, une fois encore, les deux cent cin-quante-huit marches de Notre-Dame. Pour le plaisir...

M. S.

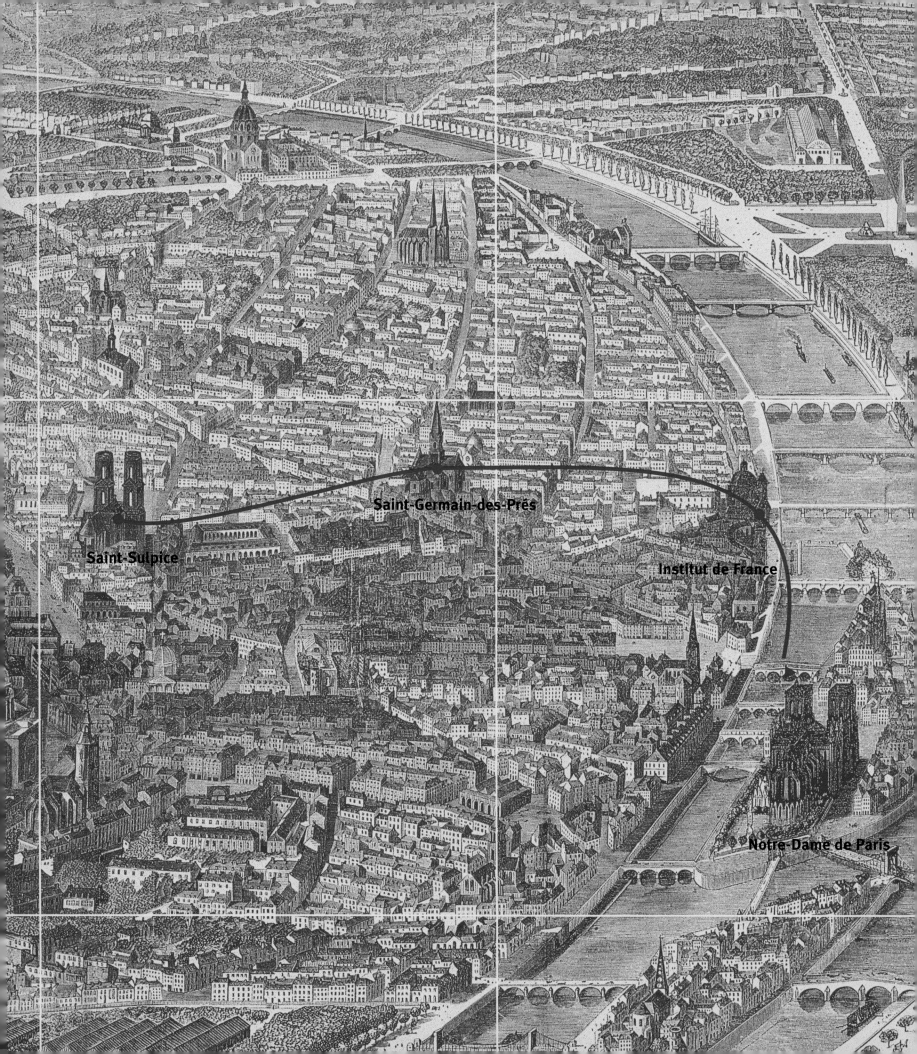

Saint-Germain-des-Prés

Saint-Sulpice

Institut de France

Notre-Dame de Paris

Jeudi saint, Notre-Dame de Paris. Une fois n'est pas coutume, j'assiste en son entier à la messe solennelle dite par Mgr Lustiger, cardinal-archevêque de Paris. Une cohorte de prêtres aux aubes de coton grège plastronnées d'un parement arc-en-ciel accompagne le prélat jusqu'à l'autel. L'encens fume, les orgues ronflent, les voix parfaitement accordées du chœur s'élèvent vers les voûtes d'ogives : la rumeur de la foule des

Cette balade au fil des clochers m'offrira

touristes s'abaisse d'un demi-ton devant la sobre pompe de la célébration. L'archevêque lit un passage de l'Ancien Testament, le chapitre XII de l'Exode, puis il évoque les Pâques chrétiennes, le sacrifice du Christ sur le Golgotha et le rite de la communion : nous sommes dans le mystère, fondement de toute religion. La balade des clochers m'offrira certainement, à en croire les étonnantes photographies réalisées par Michel Setboun, l'occasion de découvrir de manière très privilégiée quelques fabuleux panoramas de la capitale, mais il ne faudra pas oublier que ces clochers et dômes surplombent des églises chargées de tout le poids de la tradition chrétienne, ou des temples de la République porteurs, eux, de valeurs qui se sont violemment opposées à celles de l'Église.

Le banc qui précède est occupé par de modestes gens. Un petit monsieur noir chétif et certainement miséreux se lève pour aller communier. Quelques instants plus tard, je l'aperçois ; agenouillé sur le pavement au pied d'un des piliers — celui qui symbolise saint Pierre, me semble-t-il —, il prie. Son coude replié doucement contre la colonne, sa tête légèrement penchée posée dans le creux du bras, l'abandon total avec lequel il prie yeux clos en font une icône. À ce moment, il incarne, pour moi, une image palpable de ce qui a pu animer les bâtisseurs de cathédrales.

Le mardi suivant, je monte dans les tours de Notre-Dame. Le théâtre de la Seine et des cimes de Paris s'étale devant moi. Notre-Dame est au centre de Paris, au centre de ce livre, au centre de l'intérêt des masses touristiques (12 millions de visiteurs par an !). Ce n'est pas la plus ancienne des églises de Paris, elle n'est pas non plus un sommet de l'art gothique — les spécialistes lui préfèrent Bourges, Reims ou même Saint-Denis —, mais elle est le symbole de la rage bâtisseuse du Moyen Âge. Sa conservation est emblématique du changement d'attitude des autorités et du public français face au patrimoine médiéval en danger de disparition, changement qui s'est opéré au XIXe siècle, grâce entre autres au jeune Victor Hugo et à son célèbre roman. Les restaurations discutables et discutées de Viollet-le-Duc en seront la marque. Il n'empêche qu'elles ont sauvé le bâtiment qui menaçait de tomber en ruine. Le beffroi est encerclé par la rumeur de la circulation des quais de Seine. Une sympathique « clochère » y officie. Nicole — c'est son prénom — actionne régulièrement un magnétophone sur lequel sont enregistrées des volées de cloches : Quasimodo n'est pas là pour les faire vibrer… « Les gens aiment bien que je leur fasse entendre les enregistrements. J'en ai plusieurs. On ne peut pas faire sonner le bourdon pour de vrai. C'est trop fort et ce serait dangereux. »

Le bourdon, baptisé Emmanuel en 1686, mesure 2,61 mètres de diamètre et pèse 12 tonnes. Il est l'unique rescapé de l'ire révolutionnaire de 1792 qui détruisit, entre autres, les vingt cloches de Notre-Dame. On ne le sonne que pour les grandes fêtes, tel le jeudi saint. Premier clocher, premières cloches… virtuelles. Par la voie des airs et du regard, j'aperçois le dôme de l'Institut, haut lieu du savoir français avec ses cinq

donateurs pour l'édification des églises. Leurs dons n'étaient pas totalement désintéressés, sinon pas du tout : en finançant une église ou une chapelle latérale, ils s'assuraient une sépulture proche des reliques de saints qui y étaient systématiquement conservées. Ce voisinage, le plus immédiat possible, était censé accélérer leur passage au purgatoire et faciliter leur accès au royaume des cieux, grâce à l'intercession du ou des

une découverte privilégiée de Paris entre

académies, française, des inscriptions et belles-lettres, des sciences, des beaux-arts, des sciences morales et politiques. Récemment rénové, le dôme est, surtout par grand soleil, du plus bel effet : or des moulures, de la boule et de la girouette qui le surplombent, gris noble du zinc et noir de l'ardoise. L'ensemble voulu par Richelieu a un air de majesté qui ne manque pas d'exalter chez moi un brin de chauvinisme…

L'église Saint-Germain-des-Prés fut consacrée basilique sous le nom de « Sainte-Croix-et-Saint-Vincent » en 558, année du décès du roi Childebert, qui avait décidé de sa construction pour qu'elle abritât des reliques et les tombeaux des rois. Au retour de sa guerre contre les Wisigoths d'Espagne, Childebert avait en effet rapporté la tunique de saint Vincent de Saragosse et une croix d'orfèvrerie contenant un fragment de la Vraie Croix. Il souhaitait ardemment une sépulture proche des saints objets. Alors évêque de Paris, Germain officia lors de la consécration de la basilique et, à sa mort, fut enterré tout près de l'église. De nombreux miracles se produisirent sur sa tombe et le culte populaire qui s'ensuivit fit oublier les reliques déposées par Childebert. Ainsi prit-on l'habitude d'appeler l'abbaye qui s'édifia autour de l'église « Saint-Germain-des-Prés ». Monarques et puissants furent, au cours des siècles, les principaux

saints Croyances d'autres temps ? Je pénètre dans Saint-Germain-des-Prés par la porte de la rue de l'Abbaye et découvre à gauche de l'entrée une méchante statue en plâtre de sainte Rita, la spécialiste des « cas désespérés », couverte jusque sur le visage, d'inscriptions récentes rédigées au feutre, au stylo ou au crayon. Dans un élan d'affection qu'on dirait filiale, une femme baise le pied de la statue, dépose des fleurs, puis s'agenouille pour prier.

J'admire les ors et la richesse des peintures qui couvrent pratiquement tout l'intérieur du sanctuaire, la nef romane du XIe siècle, les colonnes et colonnettes de marbre du VIIe réutilisées dans l'abside gothique, la coupole du XVIIIe, et me dirige vers le porche de la place Saint-Germain pour observer le clocher du XIe siècle de l'extérieur. Sur le linteau du portail, les statues représentant la Cène ont été systématiquement décapitées lors de la Révolution. Ce lieu de paix et de fraîcheur porte à son fronton les stigmates de la haine qu'avait cristallisée l'institution ecclésiastique à la fin de l'Ancien Régime. Paris, qui put un temps — très précisément à l'époque où saint Louis y déposa les reliques du Christ — prétendre être un pôle de la chrétienté, fut aussi, cinq siècles plus tard, celui de la vengeresse ardeur républicaine. Deux siècles n'ont pas suffi à en gommer les effets.

Je dirige mes pas vers Saint-Sulpice. Ses deux tours de 73 et 68 mètres m'attirent beaucoup plus que la roideur palatine « passionnément raisonnable » de son intérieur conçu selon les canons de l'idéologie classique qui, obnubilée par la perfection, préconisait en tout l'imitation de l'art et de l'architecture de la Rome impériale. Je n'en suis pas moins admiratif des sculptures de Pigalle et Slodtz et des fresques que Delacroix a réali-

de ces lieux, par le haut... Les tours sont en mauvais état : si la tour nord est en restauration, la tour sud, inachevée, a un petit air de désolation avec ses moellons condamnés depuis bientôt deux siècles à attendre en vain les colonnes corinthiennes que l'on destinait à son décor. Des faucons y logent habituellement. J'enjambe les échafaudages, me voici dans la tour nord. Le colimaçon qui monte dans le beffroi est étroit, je dois

panoramas fabuleux et lieux mêlés d'histoire.

sées pour l'église. Il y a de la majesté dans cette grande nef de Saint-Sulpice qu'Henri Ghéon, écrivain et dramaturge, comparait à un sermon de Bossuet. Mais je brûle de prendre un peu de hauteur.

Le sacristain manque de temps pour m'accompagner : il me confie les clefs de la tour nord. Me voilà au pied d'un escalier en colimaçon qui rétrécit au fur et à mesure que je le gravis. J'accède à un comble au sol couvert de fiente de pigeon. Au beau milieu, tels des vestiges d'une bataille antique, un amas de restes des modèles en plâtre qui ont servi à exécuter les sculptures de la galerie supérieure compose une singulière mêlée de jambes, de bras, de chapiteaux corinthiens et de vases de fleurs. Je monte à la galerie supérieure, où je salue la statue de saint Sulpice, puis poursuis jusqu'à la terrasse, d'où émergent les deux tours. Après Notre-Dame, je me sens de nouveau au cœur de Paris : le Panthéon est tout proche, l'observatoire de la Sorbonne aussi, la tour Clovis pas moins. J'apprécie le secret que m'offre la hauteur. Je dirige mon regard vers l'ouest de la ville, la lumière est douce : je reconnais les Invalides, la tour Eiffel, les deux tours néogothiques de Sainte-Clotilde, les toits du Grand Palais en pleine réfection, les tours de la Défense, la cathédrale américaine, Saint-Pierre-de-Chaillot et, plus proche, Notre-Dame-des-Champs. Les jours qui suivront, je visiterai quelques-uns

me mettre de biais pour avancer. J'accède au niveau supérieur des structures portantes en bois des cloches, contourne une large rotonde en évitant de regarder en bas. Ce beffroi contient la plus importante sonnerie de la capitale. Un escalier un peu plus large que le colimaçon mène au-dessus du dôme qui protège le beffroi des intempéries. En me gardant bien de m'appuyer à la rambarde de fer rouillée et branlante, je débouche enfin à l'air libre dans une sorte de piscine qui surplombe le dôme. Un dernier escalier de pierre courbé et j'atteins le sommet de Saint-Sulpice. Je dois être à l'altitude du Panthéon ou peu s'en faut. Le chemin de pierre qui épouse l'arrondi de la tour est un parfait belvédère. S'offre à moi une imprenable vue plongeante sur le Sénat et ses jardins. En face, côté Seine, sur la rive droite, le Louvre apparaît dans toute sa vastitude. On domine Notre-Dame, l'Institut, le marché Saint-Germain, l'École de médecine. Il fait beau et bon, la rumeur de la ville est atténuée par l'altitude.

En redescendant, j'aperçois un homme assis dans une chapelle latérale de l'église. Il semble intensément plongé dans la prière. Puis je remarque à ses pieds un grand sac plastique. Il s'agit certainement d'un sans-logis. Le silence et la pénombre des églises, la tolérance des fidèles offrent encore un abri à ceux qui n'en ont pas. Et c'est tant mieux.

DE NOTRE-DAME
DE PARIS
À SAINT-SULPICE

NOTRE-DAME DE PARIS

16

Les tours de
Notre-Dame, comme
un théâtre sur la
Seine.
Vue depuis la flèche
de la cathédrale
Notre-Dame de Paris.

INSTITUT DE FRANCE

18

L'île de la Cité,
la Conciergerie, le
clocher de l'église
Saint-Gervais-Saint-
Protais, l'aigle
du Palais de Justice.
Vue depuis le dôme de
l'Institut de France.

19

Le quartier Saint-
Germain-des-Prés et
la tour Eiffel.
Vue depuis le dôme
de l'Institut de
France.

20

La passerelle des
Arts et le musée du
Louvre.
Vue depuis le dôme
de l'Institut de
France.

22

Le clocher de l'église
Saint-Germain-des-
Prés et la tour
Montparnasse.
Vue depuis le dôme de
l'Institut de France.

30

La colonnade de
l'église Saint-Sulpice
à hauteur des toits.

30

Le Panthéon.
Vue depuis le clocher
de l'église Saint-
Sulpice.

31

Le Panthéon.
Vue depuis le clocher
de l'église Saint-
Sulpice.

32

Paris.
Vue depuis
le clocher de l'église
Saint-Sulpice.

La Sainte-Chapelle
et le cœur de Paris.
Vue depuis le clocher
de l'église Saint-
Sulpice.

ÉCOLE DE MÉDECINE

23

La cathédrale
Notre-Dame de Paris
et le quartier Latin.
Vue depuis le toit de
l'École de médecine.

24

L'église Saint-Germain-
des-Prés et la colline
du Panthéon.
Vue depuis le toit de
l'École de médecine.

26

La cathédrale
Notre-Dame et le
quartier Saint-
Germain-des-Prés.
Vue depuis le toit de
l'École de médecine.

27

Le musée du Louvre,
l'École des beaux-arts
et la Seine illuminée.
Vue depuis le toit de
l'École de médecine.

SAINT-SULPICE

28

L'église Saint-Germain-
des-Prés, le musée du
Louvre et la Seine.
Vue depuis le clocher
de l'église Saint-
Sulpice.

34

La « Colline pensante » :
le Panthéon et
la Sorbonne.
Vue depuis le clocher
de l'église Saint-Sulpice.

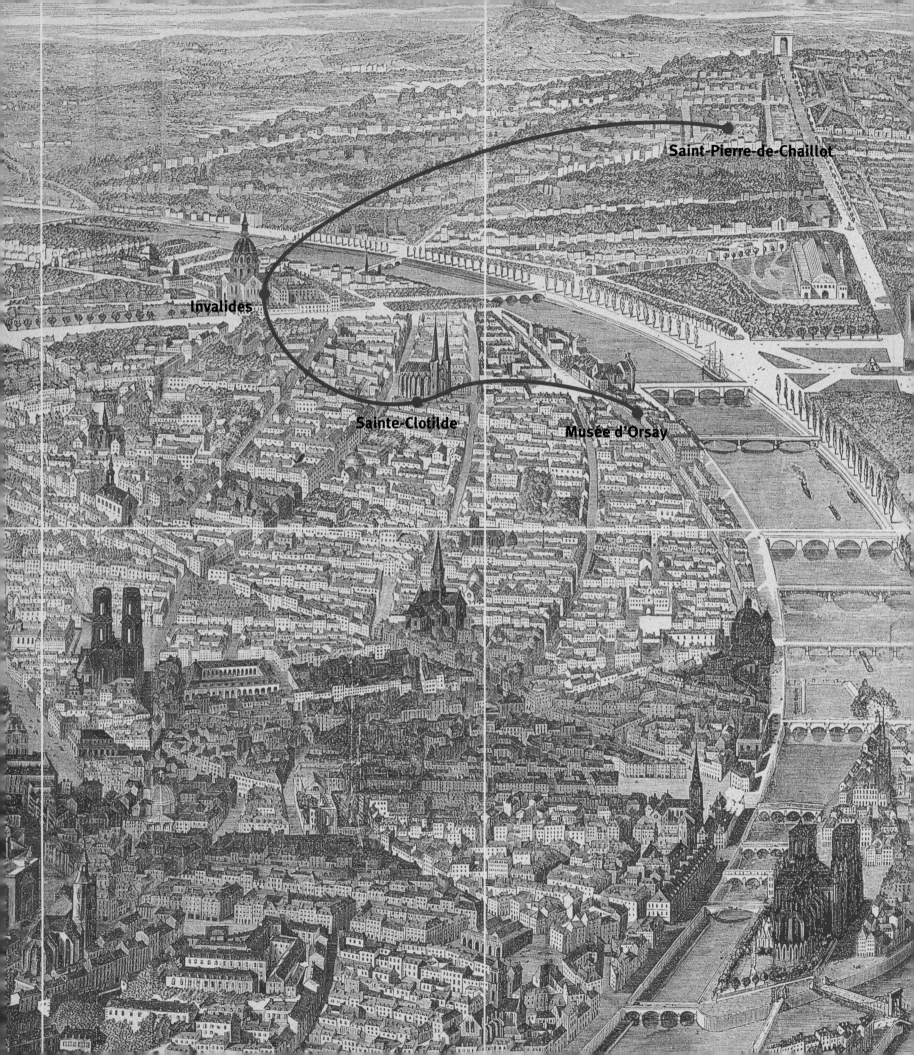

« La gare est superbe et a l'air d'un palais des Beaux-Arts… » écrivait le peintre Édouard Detaille en 1900, année de l'inauguration de la gare d'Orsay. Tel un augure, cette citation introduit la présentation du récent aménagement des lieux en un musée de l'art du XIXe siècle. Une totale réussite, ne serait-ce que par le savant système qui permet de doser et d'équilibrer éclairage naturel zénithal et illu-

Par d'étroits passages, j'atteins ces balcons

minations artificielles, en les adaptant aux œuvres présentées. Le modeste lanterneau qui coiffe le musée est bien visible des quais de Seine Rive droite. Toutes proches du musée, les deux tours de la basilique Sainte-Clotilde sont à une portée d'arc.

De Saint-Germain-des-Prés au Champ-de-Mars et au-delà, les terres des actuels VIe et VIIe arrondissements restèrent en grande partie agricoles jusqu'à l'époque de la reine Margot, au début du XVIIe siècle. Pour leur plus grande part, elles dépendaient alors de l'Université et de l'abbaye Saint-Germain-des-Prés. Margot, première épouse d'Henri IV, poétesse et protectrice des arts, n'était pas un parangon de fidélité et le mariage royal fut annulé en 1599. Exilée un temps en Auvergne, elle fut autorisée en 1605 à fixer de nouveau sa résidence à Paris. Elle acheta à l'Université 16 hectares de terrains appartenant au Pré-aux-Clercs, ainsi que d'autres terres faisant face au Louvre. Elle s'y fit construire un palais, bien éphémère puisqu'il fut vendu et détruit à son décès, en 1615, par Louis XIII, à qui elle l'avait légué. Des financiers furent alors chargés de lotir le domaine. Religieux et particuliers spéculeront sur ses terres dans les décennies suivantes. Ainsi se sont créés les nombreux couvents, hôtels particuliers et vastes jardins privatifs qui accueillent aujourd'hui nombre de ministères et d'ambassades.

Proche de l'Assemblée nationale, Sainte-Clotilde est mal aimée et méconnue… L'église, construite de 1846 à 1856 par la volonté du préfet Rambuteau, est pourtant un parfait exemple du style néogothique affectionné par le préfet et la direction des Annales Archéologiques. Son architecte, François-Christian Gau, d'origine allemande, décéda avant son achèvement qui fut confié à Ballu, son assistant. Prosper Mérimée, qui ne fut pas le moindre des adversaires du projet, se fendit d'un discutable calembour pour définir le projet en inventant le terme de « style gautique ». La paroisse possédait depuis longtemps deux ossements attribués à sainte Clotilde et le lieu se vit donc attribuer le titre de basilique par le pape Léon XIII en 1897.

Un colimaçon de pierre, puis un escalier de bois tout crotté par les pigeons : le sacristain m'accompagne jusqu'aux combles de l'église et s'en retourne seconder le prêtre. Me voici de nouveau seul dans les hauteurs d'un sanctuaire. Il est impossible d'accéder au sommet des clochers, les oculus qui y mènent étant grillagés. Par des passages où je dois me plier en deux, j'atteins cependant d'étroits balcons d'où, tour à tour, j'aperçois Notre-Dame, le Panthéon, le Val-de-Grâce, la Sainte-Chapelle, la tour Saint-Jacques, le Louvre, bref, le centre de Paris, et la « Colline pensante », c'est-à-dire le quartier de la Sorbonne. L'École de médecine barre de sa masse lugubre le jeu de dialogue et de perspectives entre les monuments. J'avance à pas prudents de la tour ouest à la tour est. Le passage est malaisé, la tempête de 1999 a fait chuter des éléments d'un des clochers sur le toit de la nef, éventrant jusqu'au plancher grossier, pas encore réparé, sur le bord duquel je dois m'avancer. Encore un balcon : je suis au niveau d'un alignement de chimères en tout point semblables à celles

le Dôme rehaussé d'or, l'un des pompiers attire mon attention sur de minuscules copeaux de feuille d'or qui parsèment le zinc. Le Dôme fut redoré dans l'urgence à l'occasion du bicentenaire de la Révolution mais les conditions météorologiques ne se prêtaient pas à la pose des 12 tonnes de feuille d'or nécessaires pour recouvrir intérieur et extérieur : l'or n'a pas parfaitement adhéré et se détache petit à petit de son support.

d'où j'embrasse la « Colline pensante »

de Notre-Dame. Le dôme des Invalides brille de tous ses ors, la tour Eiffel se détache sur un fond de ciel bleu pâle, angélique. Dans le square qui fait face à la basilique, des nounous promènent des enfants. Assis sur les bancs publics, quelques retraités s'exercent au dessin. Le drapeau bleu blanc rouge flotte mollement au-dessus du Palais-Bourbon. Printemps heureux dans un quartier bourgeois, dirait-on. Je rêvasse.

Escorté par deux pompiers, je pénètre dans les coulisses des Invalides. Nous sympathisons rapidement. Ils me guident jusqu'aux impeccables combles de l'église Saint-Louis, la chapelle des soldats, qui jouxte l'église du Dôme, autrefois réservée au roi qui ne pouvait sans déchoir se mêler à la soldatesque. Nous débouchons en pleine lumière face au « Petit Dôme », celui du chœur de la chapelle des soldats. Pendant la seconde guerre mondiale, l'hôpital fut le théâtre d'un épisode de la résistance. À la barbe des Allemands qui pourtant résidaient dans le bâtiment, un réseau avait réussi à y faire transiter des aviateurs alliés abattus par la DCA des troupes d'occupations, dont l'un a même gravé un très bref compte rendu de son aventure dans le zinc du dôme : « J. Gat, of the RAF visited here 1943 when escaping to England having been shot down by german A/A fire ». Tandis que nous poursuivons vers

Amusé par la symbolique aubaine, je glisse quelques milligrammes d'or des Invalides dans mon portefeuille. Puis nous pénétrons dans le Dôme proprement dit, pour accéder presque aussitôt à une rotonde sise au niveau du tambour, juste au-dessous de la coupole où le peintre La Fosse a figuré saint Louis présentant au Christ la France et son pouvoir royal symbolisés par une couronne, une épée et un blason. La rumeur de la foule de visiteurs de l'ancienne chapelle royale monte jusqu'à nous. Les baies ménagées dans le tambour ont été disposées à ce niveau pour que la lumière du jour éclaire la coupole. De la rotonde, on aperçoit l'énorme tombeau de Napoléon. Vus de cette hauteur, les personnages représentés dans la gigantesque fresque sont difformes. Ils ont été conçus pour être admirés de trente mètres plus bas. Au-dessous de la coupole, les douze évangélistes sont représentés dans leur ascension vers les cieux, eux aussi proportionnés pour une vision partant du rez-de-chaussée du bâtiment.
On sait que Louis XIV avait décidé en 1670 de la création de l'hôpital des Invalides pour qu'y fussent logés les vétérans de son armée et soignés les grands blessés rescapés de ses guerres. Jusqu'alors, faute de prise en charge, ceux-ci venaient grossir les rangs des mendiants, tire-laine et assassins qui infestaient la capitale. Rares parmi eux étaient ceux qui bénéfi-

ciaient du « droit d'oblat », qui imposait à certaines abbayes d'entretenir un vétéran. Les travaux de l'hôpital-hospice sont menés tambour battant par Jules Hardouin Mansart et, en octobre 1674, le roi en personne accueille une cohorte de vieux soldats dont la plupart avaient combattu dans les interminables campagnes de la guerre de Trente Ans. La chapelle des soldats et la chapelle royale attendront trente ans pour

dins privatifs des ministères et des ambassades. Et, à nos pieds, le centre d'écoutes téléphoniques de la DGSE… Je devine le musée Rodin et son *Penseur*. Enfin, sur l'autre rive de la Seine, le clocher octogonal de Saint-Pierre-de-Chaillot, ma prochaine étape… Saint-Pierre-de-Chaillot fut consacrée en 1932 par le cardinal Verdier, le fondateur des « Chantiers du Cardinal », vaste entreprise qui vit s'ériger nombre

qui s'étend du quartier Latin au Panthéon.

être achevées. Louis XIV ne s'y rendra qu'une fois, pour la mémorable cérémonie de son inauguration, accueilli par quelque six cents invalides. Deux siècles plus tard, en 1861, Louis-Philippe, roi de sa propre lignée, y fait admettre « l'Usurpateur », Napoléon, et pas à la plus modeste des places : en plein centre du monument. On a creusé le pavement afin d'accueillir le colossal sarcophage de porphyre rouge de Carélie qui recèle les cendres de l'Empereur. La vertigineuse perspective offerte par le point de vue d'où je contemple la masse du sarcophage est à l'image d'un autre vertige, intellectuel celui-là, qui me saisit : je suis glacé par cette matérialisation de la superbe des tyrans, ce désir irrépressible d'immortalité, de déification.

Une porte basse relie la rotonde à l'espace qui sépare le toit du Dôme de la coupole. Le savant enchevêtrement des bois de charpente, né du savoir-faire des artisans de l'époque, est admirable. Notre ascension se conclut par l'ouverture d'une trappe qui donne sur la lanterne dorée. Un vent froid roule sous des nuages chargés d'humidité. Le regard est tout de suite attiré par l'impeccable perspective de l'esplanade, du pont Alexandre-III, du Grand et du Petit Palais. De l'autre côté, l'École militaire et sa piste d'entraînement équestre, l'avenue de Saxe, le Champ-de-Mars, la tour Eiffel. Sur le côté du boulevard des Invalides, les jar-

d'églises parisiennes dans l'entre-deux-guerres. C'est Émile Bois, architecte de la Ville de Paris, qui a remporté en 1927 le concours pour le chantier. Son projet s'inspire du style byzantin et n'est pas sans rappeler les églises du Limousin : plan en forme de croix grecque, tour carrée pour le clocher, coiffée, de même que la coupole centrale et les quatre dômes, de pyramides octogonales. Béton armé, brique, revêtement de pierre sont les matériaux choisis. Les fresques intérieures peintes et gravées par Nicolas Untersteller directement sur le béton sont sans doute, avec les vitraux des frères Mauméjean, la plus grande réussite de cette église résolument contemporaine.

Construit volontairement plus haut que celui de la cathédrale américaine de l'avenue George-V, le clocher culmine à 65 mètres. Le quartier fourmille de lieux de culte des obédiences les plus variées : la cathédrale grecque orthodoxe de la rue Georges-Bizet, l'apostolique arménienne de la rue Jean-Goujon, une église anglicane, une église presbytérienne, une mission italienne, une autre église polonaise. L'Arc de triomphe est à portée de main, le Grand Palais à un tir de mousquet. La perspective va jusqu'au mont Valérien, côté ouest, et au rocher de Vincennes, côté est. À mesure que le soleil baisse, les reflets des eaux de la Seine évoluent du gris-vert à l'or et au rouge…

DU MUSÉE D'ORSAY À SAINT-PIERRE-DE-CHAILLOT

MUSÉE D'ORSAY

42

Les tours de
Sainte-Clotilde et
la tour Eiffel.
Vue depuis les
gloriettes du musée
d'Orsay.

42

Les toits du musée
d'Orsay.
Vue depuis les
gloriettes du musée
d'Orsay.

43

L'église
Sainte-Clotilde.
Vue depuis les
gloriettes du musée
d'Orsay.

SAINTE-CLOTILDE

44

Les gargouilles
de l'église
Sainte-Clotilde et
la tour Eiffel.

45

Le toit de l'église
Sainte-Clotilde.

52

La tour Eiffel.
Vue depuis le dôme
de l'église
des Invalides.

52

L'église de la Madeleine,
la Concorde et la
Chambre des députés.
Vue depuis le dôme
de l'église
des Invalides.

53

Vue depuis le dôme
de l'église
des Invalides.

SAINT-PIERRE-DE-CHAILLOT

54

L'Arc de Triomphe
illuminé.
Vue depuis le clocher
de l'église Saint-
Pierre-de-Chaillot.

5

Paris, la Seine, les
ponts, le musée du
Louvre et les chevaux
du pont Alexandre-III.
Vue depuis le clocher
de l'église Saint-
Pierre-de-Chaillot.

Les gargouilles et
le clocher de l'église
Sainte-Clotilde.

46

Les gargouilles
de l'église
Sainte-Clotilde.

46

Les gargouilles
de l'église
Sainte-Clotilde.

47

INVALIDES

Paris.
Vue depuis le dôme
de l'église
des Invalides.

48

Le Champ-de-Mars et
les Invalides.
Vue depuis le dôme
de l'église
des Invalides.

50

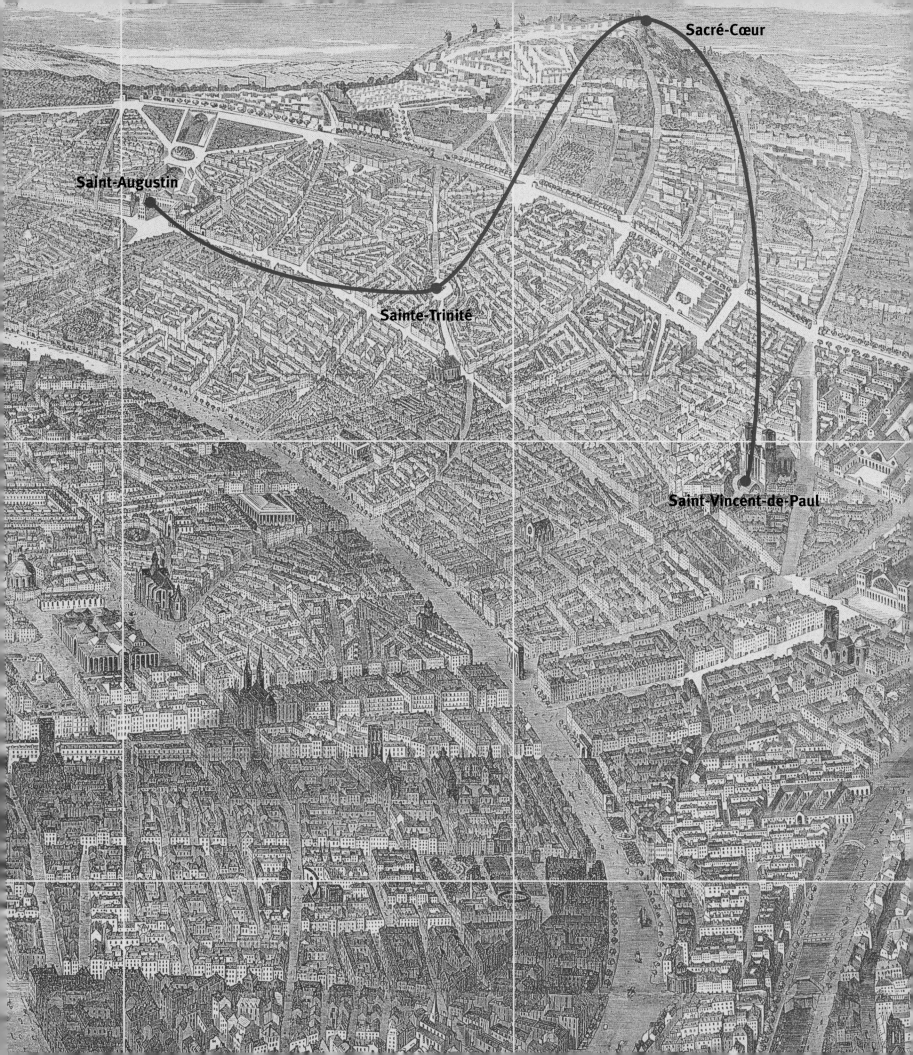

« Les temples, sous peine de se voir désertés, doivent prendre des allures mondaines et des airs de boudoir. La pénitence fait ses conditions, et les pécheresses élégantes ne consentent à tomber à genoux que dans un milieu propre à l'étalage de leurs belles grâces. Au même titre que le salon, l'église aujourd'hui est devenue un cadre. Elle permet de se montrer sous un jour nouveau. On s'y étudie aux

Bâillonnée par la hauteur, la rumeur de

séductions mystiques ; on s'y essaie aux poses d'ange. Dès lors, on comprend l'importance du cadre... » (*Paris nouveau illustré*, 1868). Cet article paru dans l'une des revues les plus appréciées par la bourgeoisie du Second Empire, n'est pas ironique, juste un peu misogyne : il correspond très précisément à ce que désirent les nouveaux riches de l'ère industrielle pour le confort de leurs belles dames. L'église Saint-Augustin fut conçue selon ces canons. Exit, donc, les pavements minéraux jugés trop froids, place au parquet. L'église voulue par Haussmann dans le quartier dont il a dessiné les larges avenues rectilignes doit être monumentale. Il en confie la réalisation à son ancien camarade d'études Baltard, protestant comme lui. Baltard souhaite que ce bâtiment couronne sa carrière. L'architecte des Halles opte pour un style éclectique qui sera apprécié par les critiques de l'époque. Byzantin, roman, gothique, Renaissance y sont donc mêlés. Avec les Halles, Baltard a acquis une maîtrise certaine de la fonte et du métal. L'ossature de Saint-Augustin sera donc métallique, c'est plus léger, solide et très bon marché : des colonnes de fonte sont adossées à la maçonnerie des murs, elles suppriment les piliers et permettent une visibilité totale dans l'église. Peintes, dorées, elles sont coiffées d'anges réalisés eux aussi en fonte moulée. De même, le lanterneau qui cha-

peaute l'immense dôme est en fonte. Flanqué de quatre tourelles qui servent de contreforts, le dôme y est « liaisonné » par une invisible chaîne métallique. Le lanterneau pèse 70 tonnes, l'église est longue de 93 mètres, haute de 79 (plus que Notre-Dame), et la hauteur libre sous le dôme est de 50 mètres.

Michel Setboun m'accompagne pour l'ascension du clocher de Saint-Augustin. Le sacristain nous confie un passe-partout et nous explique l'itinéraire à suivre pour accéder au lanterneau : nous nous perdons très vite dans les couloirs, escaliers, colimaçons et passages qui entourent et surplombent l'église. L'ensemble est un dédale sombre qui rappelle le labyrinthe décrit dans *Le Nom de la Rose*. Un étroit passage clos par deux portes aveugles nous mène enfin à l'aplomb du chœur. Quarante mètres plus bas, le maître-autel luit faiblement. Mes jambes mollissent. Une vingtaine de portes donnent sur le tambour. La majorité d'entre elles sont condamnées, ce qui nous facilite le choix. De nouveau un passage obscur et nous sommes dans l'une des tourelles qui flanquent le dôme. De là nous accédons à un toit d'où nous parvient le vacarme du boulevard Malesherbes. Une autre porte donne sur une autre tourelle, haute de quinze mètres et large de deux, qui contient le plus étroit escalier en vis qu'il m'ait jamais été donné d'emprunter. Très vite, nous progressons dans le noir le plus complet. Des brindilles craquent sous nos pas : les pigeons nidifient partout. La pestilence de leurs déjections accumulées nous prend à la gorge. Enfin, une meurtrière éclaircit légèrement l'escalier. Nous atteignons le dessus de la coupole. Un vaste vide la sépare du dôme. Un escalier droit nous mène à mi-hauteur. Une volée de trente marches nous permet d'atteindre une trappe et l'air libre. Le

partie de Montmartre un quartier piéton, la basilique offre à qui veut bien en gravir les marches un havre de silence. S'il est une visite à conseiller à qui veut contempler la capitale de haut, c'est celle du dôme du Sacré-Cœur. Comme Notre-Dame, il est en permanence accessible au public, mais beaucoup moins fréquenté. Côté ouest, on surplombe la charmante Saint-Pierre-de-Montmartre, qui serait la plus ancienne

la ville ne monte pas jusqu'ici : la frénésie

vent, le bruit, le soleil nous frappent en plein lorsque nous nous extirpons de la pénombre de la charpente. Nous tanguons, comme suspendus dans une nacelle. Paris s'étale à nos pieds : nous sommes juste à la bonne hauteur pour dominer légèrement le panorama : la Madeleine, l'Opéra, Saint-Eustache, Notre-Dame, le Panthéon, les Invalides, Sainte-Clotilde, l'Arc de triomphe, la Défense… Je me tourne vers Montmartre. Légèrement en contrebas du Sacré-Cœur, on distingue les ailes d'un moulin. C'est le célèbre Moulin de la Galette, le dernier qui ait survécu aux centaines qui fournissaient autrefois Paris en farine.

Un autre mal-aimé, ce Sacré-Cœur de Montmartre. Une souscription volontaire et une loi de 1873 ont permis son érection. Elle naît d'un « vœu national » des « versaillais », qui viennent de massacrer les communards : celui de construire une église consacrée au cœur du Christ, en pénitence des « fautes » commises par la France, et qui sont supposées lui avoir valu sa défaite face aux armées prussiennes, la perte de l'Alsace-Lorraine et le bain de sang de la Commune. De la galerie couverte qui ceint son dôme, on voit, par temps clair, à 50 kilomètres à la ronde. Du fait de son élévation au sommet de l'antique Butte, et de l'avisée décision des autorités parisiennes de faire d'une grande

église de Paris. À droite de Saint-Pierre, la place du Tertre expose ses poulbots. Un tout petit peu plus à l'est, un groupe de jeunes gens vêtus de larges pantalons blancs s'exercent sur la pelouse d'un square aux figures de la *capoeira*, l'art martial brésilien. Derrière un square, le nord de Paris s'étale à perte de vue, immense. Je contemple longuement les échangeurs du périphérique, le Stade de France, les autoroutes, les trains innombrables qui irriguent la banlieue au départ de Saint-Lazare et de la gare du Nord. Les voies ferrées dessinent de larges saignées dans le tissu urbain. Le vent provient du Sud, la rumeur du flot de trains, de camions, d'automobiles, ne parvient donc pas ici. Bâillonnée, cette monstrueuse frénésie de déplacement en devient abstraite et prend le relief d'une allégorie distanciée de la vanité de l'agitation humaine. Côté sud, la lumière change, fait scintiller les toits, exalte l'infinie gamme de verts des arbres, révèle particulièrement Saint-Eustache, dont on peut admirer d'ici la structure arachnéenne. Le monument semble reposer sur ses contreforts comme sur des pattes articulées. La Défense miroite au loin, je me sens parfaitement en accord avec cette institution merveilleuse et gratuite : le printemps.

Je rentre à pas comptés vers le métro, peu pressé de quitter le silence de Montmartre. Je prolonge ma visite sous terre en compulsant les passionnants bouquins sur l'histoire de Paris qui lestent ma besace. J'y redécouvre la légende du martyre de saint Denis, premier évêque de Paris, évangélisateur acharné, supplicié et décapité vers l'an 250 au bas de la butte Montmartre. Après avoir été saisi, souffleté, conspué, moqué et lié avec des courroies très serrées par les sbires du préfet romain de l'époque, il fut jeté en prison où on le fla-

autres saints personnages pourtant abondamment représentés. Le même architecte qui avait achevé Sainte-Clotilde a mené à bien la construction de celle de la Trinité : Théodore Ballu. L'architecture et les décorations me laissent, je l'avoue, de marbre. Proche de la sortie du sanctuaire, à genoux, les bras tournés vers le ciel, un homme prie avec ferveur.

des hommes en devient presque abstraite.

gella. Le lendemain, on l'étendit nu sur un gril de fer sous lequel dardait un feu violent. Comme il continuait à chanter les louanges du Seigneur, on le donna en pâture à des bêtes féroces et affamées. Le signe de croix qu'il leur opposa les rendit très douces. On le jeta dans une fournaise : le feu s'éteignit. Renvoyé en prison avec ses compagnons chrétiens, il y disait la messe. Le juge le livra alors à un dernier supplice : il fut décapité. Mais son corps se leva aussitôt, et conduit par un ange, le saint céphalophore (porteur de son chef) poussa jusqu'à l'actuelle ville de Saint-Denis, sa tête entre les bras. Un grand pèlerinage qui empruntait la rue Saint-Denis, puis le faubourg, avant de pousser jusqu'à Montmartre puis Saint-Denis, la ville, commémora le martyr pendant des siècles.

Le lendemain, une visite à la Trinité me convainc, s'il en était besoin, que, bien des siècles plus tard, la foi des chrétiens est toujours ardente, peut-être pas jusqu'à les pousser au martyre, mais je suis quand même impressionné par la dévotion manifestée par les fidèles. Ce jour-là, à la Trinité, je remarque surtout des personnes de couleur ou originaires des pays de l'Est. En l'espace d'une demi-heure, pas moins de cinq personnes viendront saluer une statue de saint François et verser une obole, sans le moindre regard pour les

Avec ses quatre évangélistes placés sur la balustrade qui relie ses deux tours, Saint-Vincent rappelle la célèbre balustrade de Saint-Jean-de-Latran à Rome. L'église de style gréco-romain, érigée entre 1824 et 1844, est construite sur une partie de l'ancien prieuré Saint-Lazare, léproserie qui accueillit du XIe au XVIe siècle sur ses vastes terrains les nombreuses victimes de la maladie. Cette partie des faubourgs fut longtemps appelée faubourg Saint-Ladre. Il fallait maintenir les malades atteints de « ladrerie » hors les murs. L'enclos commençait donc aux portes de l'enceinte érigée par Charles V. Le fléau cédant graduellement aux progrès de l'hygiène et du bien-être matériel, la léproserie devint inutile. Saint Vincent de Paul, ou plutôt la Société des Prêtres de la Mission qu'il avait fondée en 1625, héritera des lieux en 1632. Deux siècles plus tard, la réalisation des sculptures du chœur fut confiée à Aimé Millet et François Derre. Les deux artistes ont prêté aux saints représentés dans le chœur les visages des membres de la maison d'Orléans... Quoique animé par un profond sens de la charité, saint Vincent sut toujours composer avec le pouvoir. Étonnant retour des choses, donc, que cette usurpation symbolique des oripeaux de la sainteté dans le temple dédié à Monsieur Vincent. Perplexe, je dirige mes pas vers l'église Saint-Laurent.

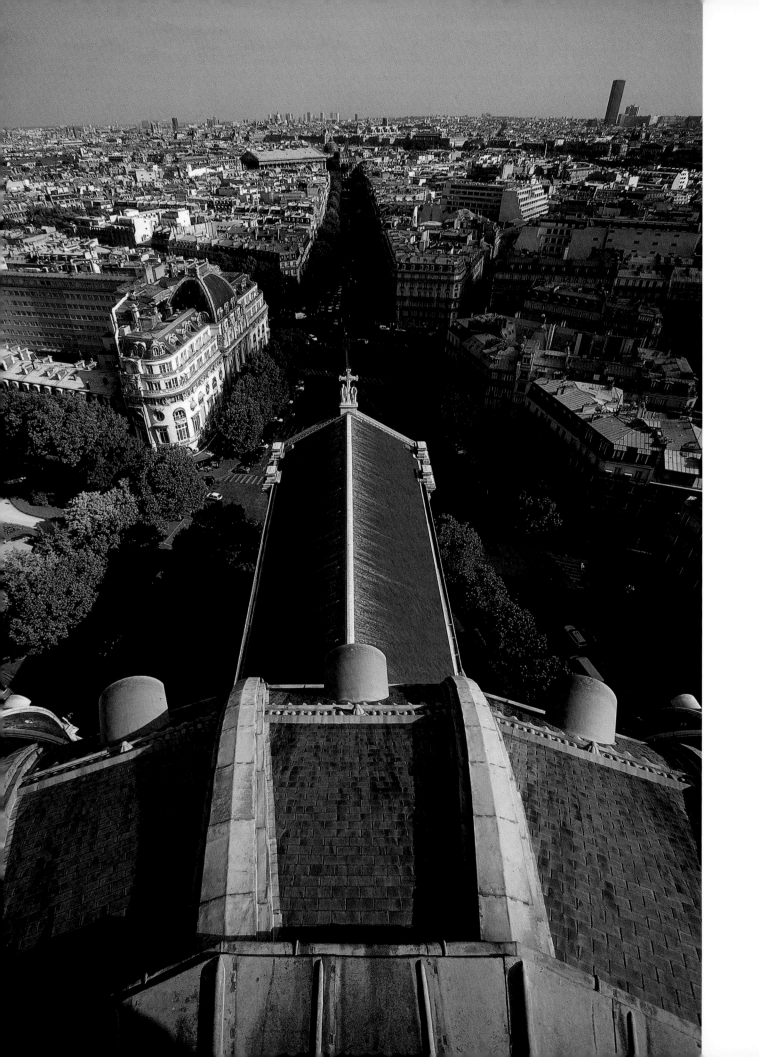

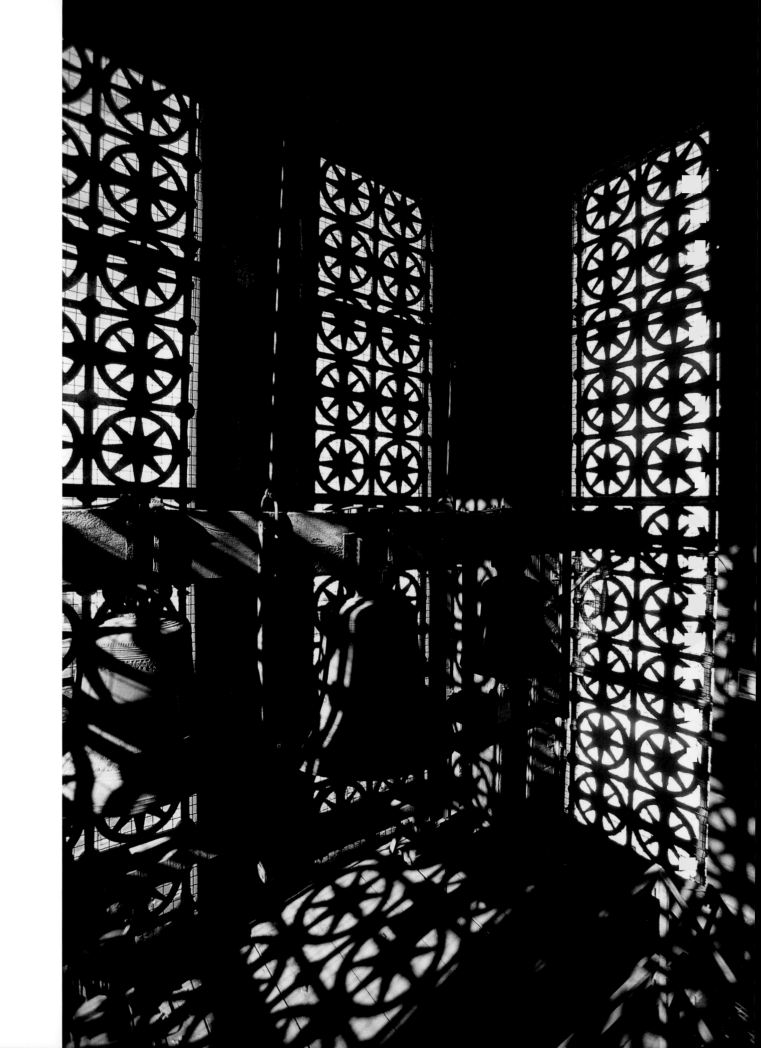

DE SAINT-AUGUSTIN À SAINT-VINCENT-DE-PAUL

SAINT-AUGUSTIN

64

Les toits de Paris et l'église Saint-Augustin.

66

Paris, le boulevard Malesherbes. Vue depuis le clocher de l'église Saint-Augustin.

67

Paris, le Sacré Coeur. Vue depuis le clocher de l'église Saint-Augustin.

67

Paris, le boulevard Malesherbes. Vue depuis le clocher de l'église Saint-Augustin.

68

L'escalier en colimaçon du clocher de l'église Saint-Augustin.

74

Statues de l'église de la Sainte-Trinité.

74

Paris. Vue depuis l'église de la Sainte-Trinité.

75

Le Sacré-Cœur. Vue depuis le clocher de l'église de la Sainte-Trinité.

SACRÉ-CŒUR

76

Le grand escalier du clocher du Sacré-Cœur.

78

Le dôme du Sacré-Cœur.

SAINT-VINCENT-DE-PAUL

84

La gare du Nord. Vue depuis l'église Saint-Vincent de Paul.

84

L'église Saint-Laurent. Vue depuis l'église Saint-Vincent-de-Paul.

85

Le clocher de l'église Saint-Vincent-de-Paul.

68

L'escalier de l'église
Saint-Augustin.

69

L'escalier de l'église
Saint-Augustin.

70

L'église de
la Sainte-Trinité et
le Sacré-Cœur.

SAINTE-TRINITÉ

71

L'escalier de l'église
de la Sainte-Trinité,
dans le clocher.

72

Paris.
Vue depuis l'église
de la Sainte-Trinité.

78

Le dôme du Sacré-
Cœur.

79

L'abbatiale
Saint-Pierre
et Montmartre.
Vue depuis le dôme
du Sacré-Cœur.

80

L'abbatiale Saint-
Pierre et Montmartre.
Vue depuis le dôme
du Sacré-Cœur.

82

Le grand escalier
du clocher
du Sacré-Cœur.

83

L'abbatiale
Saint-Pierre et
Montmartre.
Vue depuis le dôme
du Sacré-Cœur.

Saint-Laurent, campée au carrefour des boulevards de Strasbourg et Magenta, se situe au cœur de l'ancienne ladrerie Saint-Lazare et sur le tracé de l'axe majeur Nord-Sud tracé par les ingénieurs romains du Haut-Empire (Iᵉʳ au IIIᵉ siècle) : le *cardo maximus*. D'autres axes mineurs furent tracés en parallèle. Le *cardo* « majeur » correspond aux actuelles rues Saint-Jacques et Saint-Martin. Il était coupé per-

Au fil de la descente, le décor se transforme

pendiculairement, ainsi que ces voies parallèles, par les *decumani*. Il semble que le *decumanus maximus* ait été la rue Cujas et ses prolongements, auxquels ne correspond plus aucune des rues actuelles. Ce découpage géométrique de Lutèce a durablement marqué la ville, puisqu'il en a déterminé le plan jusqu'à nos jours. Le *cardo* majeur est aussi le chemin de Saint-Jacques-de-Compostelle. Il fut emprunté pendant des siècles par les pèlerins du Nord en chemin vers la Galice. En son centre, la tour Saint-Jacques.

La légende raconte qu'au IIIᵉ siècle, lors des persécutions antichrétiennes de l'empereur Valérien — dont saint Denis fit aussi les frais, on l'a vu —, le préfet de Rome tenta d'extorquer à Laurent, diacre de Rome, « les trésors de l'Église », et que celui-ci lui présenta une foule d'éclopés et de pauvres dont il déclara au préfet que c'étaient là toutes les richesses possédées par l'Église. En conséquence de quoi, Laurent fut brûlé sur un gril, le 10 août 258. Une conséquence ultérieure de ce martyre, moins connue, est que, par simple imposition des mains, les natifs du 10 août sont réputés supporter les effets des brûlures. Je connais quelques paysannes de l'ouest de la France nées ce jour-là : leurs voisins n'hésitent pas une seconde à s'adresser à elles lorsqu'ils se brûlent. Coiffée d'une flèche de plomb greffée au XIXᵉ siècle sur son clocher

d'origine, Saint-Laurent est un collage hasardeux qui associe des éléments du XIᵉ, date de reconstruction de la basilique originelle mérovingienne mise à sac par les Normands, un chœur du XVᵉ, des chapelles du XVIᵉ et d'autres ajouts accumulés au fil du temps. Elle fut même temple de la Raison en 1793, puis temple de la Vieillesse en 1798. Sur le tympan du portail ouest de l'église, la légende de saint Laurent est représentée sur un émail datant de la reconstruction de la façade sous le Second Empire. On y reconnaît l'empereur Valérien, le bûcher, une allégorie de la ville de Paris et les pauvres de Rome.

L'intérieur de l'église contient des vitraux disparates représentant entre autres les gestes de saint Denis, Notre-Dame de Lourdes, saint Vincent de Paul et le « vœu » de Louis XIII par lequel il dédia la France à la Vierge. Un groupe de fidèles assiste à une messe en l'honneur de Notre-Dame des Malades dite par un prêtre africain, deux ou trois sans-logis somnolent en plusieurs points de l'église. Sur la porte du bureau d'accueil paroissial, un petit écriteau : « On ne donne pas d'argent ». Une gravure sur marbre rappelle que saint Vincent de Paul était particulièrement attaché à cette paroisse.

Sur le chemin de la tour Saint-Jacques, la façade du XVᵉ siècle de Saint-Nicolas-des-Champs se détache agréablement de l'alignement de la rue Saint-Martin. Elle invite à la visite. Son modeste clocher culmine à trente-deux mètres. Les ajouts faits au cours des siècles se sont tous bien intégrés à l'ensemble. Après l'avoir fermée en 1793, les comités révolutionnaires, qui n'étaient décidément pas à court d'idées aussi plates que saugrenues, l'ont rouverte en 1795 sous la nouvelle dénomination de temple de l'Hymen et de la Fidélité.

vent. Il portait un blouson avec tout ce qu'il faut dedans pour prendre l'argent dans les troncs : un élastique avec un aimant pour les pièces et un autre avec un morceau de chatterton pour les billets. Il y a aussi des gens qui viennent faire leurs besoins. C'est dégoûtant. Ça fait vingt ans que je travaille ici. Un jour, j'ai surpris deux gars qui se faisaient une piqûre de drogue, pendant la messe ! J'ai crié, crié pour qu'ils s'en aillent. On

j'aperçois les tubulures colorées du centre

Un après-midi, j'ai eu une conversation bien intéressante avec la sacristaine du lieu, une Polonaise d'une cinquantaine d'années au caractère bien trempé. Je venais de remarquer dans la chapelle latérale dédiée à Notre-Dame de Lourdes une corbeille placée là pour recevoir les vœux des fidèles. Crayons et papier nécessaires à la rédaction des demandes sont disposés sur une petite table. Le même dispositif a été mis en place dans la chapelle de Saint-Antoine. Je sens alors dans mon dos une présence inquisitrice : la sacristaine. Je lui demande aussitôt qui a placé là ces corbeilles et ces papiers, et pourquoi. « C'est moi ! Parce que sans ça ils écrivent sur les statues ! Les gens n'ont aucun respect ! » J'explique à la dame la raison de ma présence à Saint-Nicolas, sors mon carnet de notes. Elle me confie spontanément tous les tracas causés quotidiennement par l'ouverture permanente des églises. « Les gens prennent des bougies sans payer. Il y en a aussi qui détachent le carrelage. Vous comprenez, ça vaut très cher, c'est ancien. Ils le revendent. Ils détachent aussi des petites rosaces sur les autels, ça sert pour fabriquer des meubles. On m'a même scié un panneau de confessionnal du XVIIIe. Ils vendent ça très cher à des antiquaires. » Elle reprend son souffle. « Il faut surveiller tout le temps ! Tiens, ça me rappelle cet homme que j'avais repéré parce qu'il venait trop sou-

m'a volé dix-huit chaises. Il y avait aussi un exhibitionniste qui venait souvent et qui a fait peur à des dames anglaises qui visitaient l'église. Je l'ai menacé de l'enfermer dans l'église et d'appeler la police, il n'est plus reparu... »
Pendant que la sacristaine me parle, je remarque une femme métisse aux yeux verts qui poursuit depuis un moment une lente circumambulation autour de la nef. Elle nous salue en passant. Entre alors en courant un homme d'un quarantaine d'années, moustache poivre et sel, veste à croisillons, lunettes. Il crie : « Vous ne vous rendez pas compte ! Ne vous moquez pas de moi ! Vous ne pouvez pas savoir ! Je suis de la Réunion, mais je suis seul, seul ici ! » Il s'assoit dans la nef, continue de crier, sanglote. La dame métisse, qui s'apprêtait à partir, le rejoint et lui parle doucement. Peu à peu, l'homme baisse le ton. Dix minutes plus tard, il ressort précipitamment. La dame aux yeux verts vient vers nous, le visage baigné de larmes. Elle ne nous explique rien de ce qu'ils se sont dit. Elle déclare qu'ici, ça fait du bien. Elle parle de maladie de sang, de guérison, de saint Georges. D'un air entendu, elle nous confie qu'à Saint-Denis-la-Chapelle (sic), ça marche mieux, c'est plus fort. Je crois comprendre que le pouvoir des saints y est à son avis plus efficace. Je me fais la réflexion que l'être humain souffre depuis

toujours, mais que notre époque n'octroie pas grand place à son mal-être, surtout s'il est démuni et sauf possibilité d'exploitation télévisuelle. Je me remémore les mausolées des marabouts guérisseurs, en Afrique du Nord, où les malades peuvent rester des jours, des semaines, des mois à crier leurs angoisses. Parfois, ils en sortent guéris. Je n'ai aucune envie de me moquer de la dame aux yeux verts.

la statue de saint Jacques qui domine le monument : le saint devrait regarder vers la Galice alors qu'il fait face à Beaubourg. Le vacarme de la rue de Rivoli et du boulevard Sébastopol est tel que, par moments, nous devons crier pour communiquer. Aux angles de la tour, tel Quasimodo à Notre-Dame, nous voilà nez à nez avec chimères et gargouilles. L'innocence du héros de Victor Hugo me fait défaut : je ne lie pas conversation avec

Pompidou, les deux angelots du Châtelet...

La tour Saint-Jacques est en travaux. J'ai rendez-vous avec un architecte de la Ville de Paris qui doit en inspecter les échafaudages. Une aubaine, car j'aurai la possibilité de visiter la tour à tous ses niveaux « par l'extérieur ». Deux techniciens accompagnent l'architecte. Nous montons d'abord d'une traite au sommet du monument. L'architecte m'explique que la tour va connaître sa première restauration complète depuis son érection en 1522. Des alpinistes sont récemment intervenus pour arrimer plusieurs statues fendues de pied en cap. Les chutes de pierres corrodées par le temps et la pollution ont convaincu la municipalité de l'urgence d'une restauration.

Saint-Jacques-de-la-Boucherie, l'église de la corporation des bouchers, tanneurs et écorcheurs de bêtes du Grand Châtelet, fut désaffectée puis vendue et détruite en 1797. Seul le clocher fut conservé : c'est l'actuelle tour. Les révolutionnaires avaient récupéré les douze cloches du beffroi pour en fondre le bronze au moyen d'une méthode expéditive : ils boutèrent le feu aux charpentes. Dans leur chute, les cloches brisèrent le pavement sous-jacent. La ville de Paris la rachète en 1836. Quelques travaux de consolidation et de remplacement des abat-sons par des vitraux furent menés sous la direction de Théodore Ballu à la fin du XIXe siècle. Les ouvriers ont placé dans le mauvais sens

ces représentations fantasmagoriques illustrant les dangers que l'on encourait si l'on ne se plaçait pas sous la protection de l'Église. Totalement invisibles à partir du niveau du sol, accrochés à des chapiteaux, des diablotins cornus et palmipèdes font la grimace. Évangélistes, madones, disciples du Christ et saints sculptés grandeur nature et répartis sur tout le pourtour du clocher offrent un visage plus avenant. Je reconnais sainte Geneviève, saint Roch, saint Laurent, saint Pierre, saint Jean-Baptiste.

Au fil de la descente, d'étage en étage, la vision du panorama évolue ; tel détail s'impose, tel autre s'estompe. Je remarque tour à tour les deux angelots placés au sommet de la façade du Châtelet, les grilles ouvragées de la lanterne qui coiffe le théâtre, les tubulures du centre Pompidou, les piques des hallebardiers de l'Hôtel de Ville, la flèche de la Sainte-Chapelle, le dôme du tribunal de commerce, les toits de la Bourse de commerce aux Halles, la terrasse du Bazar de l'Hôtel de Ville, le fronton de Saint-Gervais-Saint-Protais. La tour fait fonction de station météorologique depuis 1891. Une partie de ses locaux abrite des archives météos. Au rez-de-chaussée, une statue de Blaise Pascal est là pour nous rappeler que le grand homme mena ses expériences sur la pesanteur en haut de la tour Saint-Jacques.

DE SAINT-LAURENT
À LA TOUR
SAINT-JACQUES

92

Les boulevards
de Sébastopol et
de Strasbourg.
Vue depuis la flèche
de l'église
Saint-Laurent.

94

Les boulevards
de Sébastopol et
de Strasbourg.
Vue depuis la flèche
de l'église
Saint-Laurent.

95

Le clocher de l'église
Saint-Laurent.
Vue depuis la flèche
de l'église
Saint-Laurent.

Les toits de Paris.
Vue depuis le clocher
de l'église Saint-
Nicolas-des-Champs.

104

105

105

106

La tour Saint-Jacques
illuminée la nuit.

L'église Saint-Merri
et le musée du
Centre Pompidou
Vue depuis la tour
Saint-Jacques.

La tour Saint-Jacques.
Vue depuis le dôme
du Bazar de l'Hôtel de
Ville.

Le Centre Pompidou,
la cathédrale
Notre-Dame de Paris
et le Panthéon.
Vue depuis le clocher
de l'église Saint-
Nicolas-des-Champs.

L'église Saint-Merri :
Marie-Caroline,
la plus vieille cloche
de Paris.
Vue depuis le musée
du Centre Pompidou.

113

113

114

Le Centre Pompidou
et l'église Saint-
Merri.
Vue depuis la tour
Saint-Jacques.

Le Centre Pompidou
et l'église Saint-
Merri.
Vue depuis la tour
Saint-Jacques.

La statue de Saint-
Jacques au sommet
de la tour, surplombant
les anciens axes
romains de la capitale.
Vue depuis la tour
Saint-Jacques.

98
La gare de l'Est et la Porte Saint-Martin. Vue depuis le clocher de l'église Saint-Nicolas-des-Champs.

99
La rue Saint-Martin. Vue depuis le clocher de l'église Saint-Nicolas-des-Champs.

100
Les gargouilles de l'église Saint-Merri.

101
Les gargouilles de l'église Saint-Merri.

102
L'église Saint-Merri encerclée par les maisons du quartier Beaubourg.

107
Paris, la Seine, la tour Eiffel, les Invalides, les ponts et l'Institut de France. Vue depuis la tour Saint-Jacques.

108
L'axe des Champs-Elysées et la grande roue de la Concorde. Vue depuis la tour Saint-Jacques.

110
L'Hôtel de Ville et l'église Saint-Gervais-Saint-Protais. Vue depuis la tour Saint-Jacques.

112
Le Sacré-Cœur, l'église Saint-Eustache et le boulevard Sébastopol. Vue depuis la tour Saint-Jacques.

112
La Seine et l'Hôtel de Ville et la cathédrale Notre-Dame de Paris. Vue depuis la tour Saint-Jacques.

Notre-Dame de Paris

« Après tout, il ne tournait qu'à regret sa face du côté des hommes. Sa cathédrale lui suffisait. Elle était peuplée de figures de marbre, rois, saints, évêques, qui du moins ne lui éclataient pas de rire au nez et n'avaient pour lui qu'un regard tranquille et bienveillant. Les autres statues, celles des monstres et des démons, n'avaient pas de haine pour lui Quasimodo. Il leur ressemblait trop pour cela. Elles

Notre-Dame, œuvre pétrie d'enthousiasme,

raillaient bien plutôt les autres hommes. Les saints étaient ses amis, et le bénissaient ; les monstres étaient ses amis, et le gardaient. Aussi avait-il de longs épanchements avec eux. Aussi passait-il quelquefois des heures entières, accroupi devant une de ces statues, à causer solitairement avec elle. Si quelqu'un survenait, il s'enfuyait comme un amant surpris dans sa sérénade. [...]

Et la cathédrale ne lui était pas seulement la société, mais encore l'univers, mais encore toute la nature. Il ne rêvait pas d'autres espaliers que les vitraux toujours en fleur, d'autre ombrage que celui de ces feuillages de pierre qui s'épanouissent chargés d'oiseaux dans la touffe des chapiteaux saxons, d'autres montagnes que les tours colossales de l'église, d'autre océan que Paris qui bruissait à leurs pieds.

Ce qu'il aimait avant tout dans l'édifice maternel, ce qui réveillait son âme et lui faisait ouvrir ses pauvres ailes qu'elle tenait si misérablement repliées dans sa caverne, ce qui le rendait parfois heureux, c'étaient les cloches. Il les aimait, les caressait, leur parlait, les comprenait. Depuis le carillon de l'aiguille de la croisée jusqu'à la grosse cloche du portail, il les avait toutes en tendresse. Le clocher de la croisée, les deux tours, étaient pour lui comme trois grandes cages dont les oiseaux, élevés par lui, ne chantaient que pour lui.

C'étaient pourtant ces mêmes cloches qui l'avaient rendu sourd, mais les mères aiment souvent le mieux l'enfant qui les a fait le plus souffrir.

Il est vrai que leur voix était la seule qu'il pût entendre encore. [...] On ne saurait se faire une idée de sa joie les jours de grande volée. Au moment où l'archidiacre l'avait lâché et lui avait dit : Allez ! il montait la vis du clocher plus vite qu'un autre ne l'eût descendue. Il entrait tout essoufflé dans la chambre aérienne de la grosse cloche ; il la considérait un moment avec recueillement et amour ; puis il lui adressait doucement la parole, il la flattait de la main, comme un bon cheval qui va faire une longue course. Il la plaignait de la peine qu'elle allait avoir. Après ces premières caresses, il criait à ses aides, placés à l'étage inférieur de la tour, de commencer. Ceux-ci se pendaient aux câbles, le cabestan criait, et l'énorme capsule de métal s'ébranlait lentement. Quasimodo, palpitant, la suivait du regard. Le premier choc du battant et de la paroi d'airain faisait frissonner la charpente sur laquelle il était monté. Quasimodo vibrait avec la cloche. Vah ! criait-il avec un éclat de rire insensé. Cependant le mouvement du bourdon s'accélérait, et à mesure qu'il parcourait un angle plus ouvert, l'œil de Quasimodo s'ouvrait aussi, de plus en plus phosphorique et flamboyant. Enfin la grande volée commençait, toute la tour

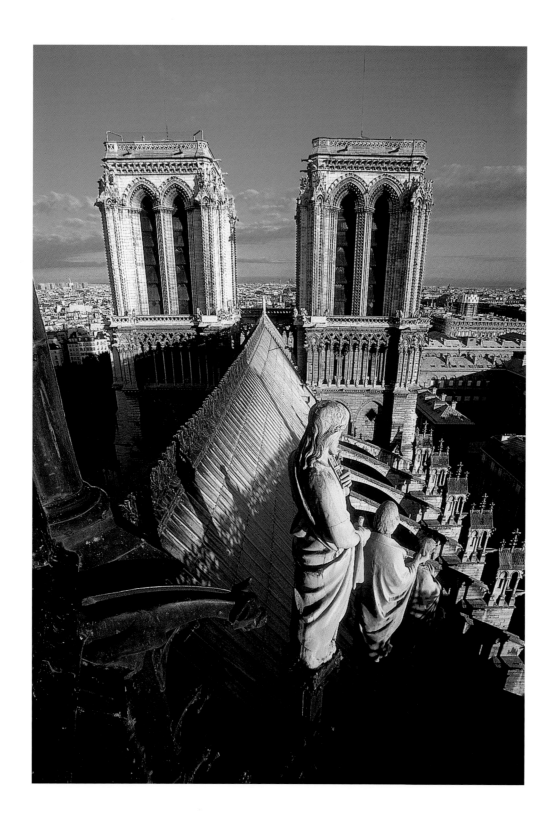

NOTRE-DAME DE PARIS

Toutes les photographies de ce chapitre ont été prises depuis la cathédrale Notre-Dame de Paris.

Les gargouilles de la galerie des Chimères.

La statue de Viollet-le-Duc, l'un des apôtres de la flèche. Vue depuis la flèche.

Les tours de Notre-Dame. Vue depuis la flèche.

Les gargouilles de la galerie des Chimères et la flèche.

La Seine et la tour Eiffel.

La Seine et la rive gauche.

Les gargouilles de la galerie des Chimères, regardant la Seine, la tour Eiffel et les Invalides.

La façade de la cathédrale : sculptures et gargouilles, portail principal.

Les apôtres regardant le Nord de Paris. Vue depuis la flèche.

Les gargouilles de la galerie des Chimères.

Les gargouilles de la tour nord.

Les gargouilles de la galerie des Chimères.

Les gargouilles de la galerie des Chimères, regardant la Seine.

Les gargouilles de la galerie des Chimères.

La seine et l'Institut de France. Vue depuis la flèche.

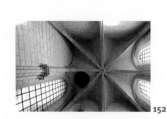

Une croisée d'ogives, salle de la tour sud.

La charpente du bourdon, tour sud.

La charpente de la flèche, recouverte de plomb.

Les combles sous la charpente.

127

Les apôtres regardant
le Nord de Paris : le Sacré-
Cœur, le Centre Pompidou,
l'Hôtel de Ville, la tour
Saint-Jacques.
Vue depuis la flèche.

128

Les apôtres
de la flèche.

129

Horloge et gargouilles.
Vue depuis les toits.

130

Les gargouilles de la
galerie des Chimères
regardant la Seine,
la tour Eiffel et
les Invalides.

132

Les gargouilles de
la galerie des Chimères.

138

Entre les tours
de la cathédrale.
Vue depuis les toits.

138

Entre les tours
de la cathédrale.
Vue depuis les toits.

139

Les gargouilles et
la flèche de la
cathédrale.

139

Les gargouilles
des tours de
la cathédrale.

140

Les gargouilles de la
galerie des Chimères.
Au loin, le Panthéon.

146

La tour Saint-Jacques
et le Sacré-Cœur.
Vue depuis la flèche
de la cathédrale.

147

La rive gauche et
la Seine.
Vue depuis la flèche
de la cathédrale.

148

Les gargouilles de la
galerie des Chimères.

150

La cathédrale.
Vue depuis les toits.

150

Les gargouilles de la
galerie des Chimères.

154

Les gargouilles de la
galerie des Chimères
et la flèche.

155

Les gargouilles de la
galerie des Chimères.

Val-de-Grâce

Saint-Jacques-
du-Haut-Pas

Panthéon

Tour Clovis

Saint-Étienne-du-Mont

Sorbonne

Saint-Séverin-
Saint-Nicolas

Le quartier Latin, qui fait suite à l'île de la Cité sur le chemin de Saint-Jacques, fut pendant quelques siècles — les premiers de notre ère —, la zone d'expansion majeure de Lutèce. Au VIe siècle, Clovis et Childebert fréquentaient encore les thermes romains qui restèrent en fonction, semble-t-il, jusqu'aux grandes invasions normandes du IXe siècle. À l'époque, seule l'île de la Cité était fortifiée. Réfugiés

Après de furieuses batailles, le Panthéon

derrière ses remparts, les Parisiens assistèrent impuissants à la destruction quasi complète des édifices de la Rive gauche. Il faudra attendre les XIe et XIIe siècles pour que Paris soit entièrement entourée de murailles, la fameuse enceinte de Philippe Auguste. C'est l'époque où le quartier Latin se crée et devient un pôle universitaire renommé dans toute l'Europe. On y étudie de nombreuses matières — droit canon, latin, grammaire, rhétorique, astronomie, géométrie, arithmétique, musique et médecine — même si la théologie restera pendant des siècles la spécialité parisienne. La Sorbonne est fondée en 1257 par Robert de Sorbon, confesseur de saint Louis, et s'impose rapidement face aux collèges concurrents. On estime le nombre d'étudiants — ils proviennent en majorité d'Île-de-France, de Bretagne, de Normandie, de Picardie, d'Angleterre, et même de Suède et du Danemark — à cinq mille en 1400, quarante mille au XVIe siècle, pour une cinquantaine de collèges.

Le fumet des rôtisseries orientales de la rue Saint-Séverin aurait fait saliver les « disciples d'Aristote ». Avec ses voies étroites, tortueuses et encaissées, le quartier a conservé son caractère médiéval. Bien que, en sus de Notre-Dame, l'île de la Cité toute proche ait compté jusqu'à vingt églises, le quartier Latin a voulu lui aussi les siennes, dont la belle Saint-Séverin. Un

édifice gothique est érigé au début du XIIIe siècle sur les ruines d'une église romane du XIIe. Au XVe siècle, l'église brûle, on la reconstruit dans le style gothique flamboyant : le pilier tors d'où part la « forêt de palmiers » de l'abside est, par sa symbolique (arbre cosmique, tourbillon) autant que par la singularité et la maîtrise de sa facture hélicoïdale, une pure merveille. Le clocher date de l'époque de Philippe Auguste. Saint-Séverin comporte une chapelle étonnante dans laquelle se sont pressées des générations d'étudiants à la veille de leurs examens. Sur un des côtés, quelques os de sainte Ursule et de saint Émilien enveloppés de faveurs rouges sont exposés sur un coussin de velours grenat à l'intérieur d'une châsse de verre. Partout autour se pressent des ex-voto en marbre : « Succès aux examens. Un polytechnicien et sa mère, 1925 » ; « Succès à un concours. Un saint-cyrien, 1909 »... La plupart d'entre eux datent au moins d'avant-guerre. Par manque de place, il est aujourd'hui interdit d'en rajouter. Mais beaucoup d'étudiants viennent encore prier ici avant leurs examens.

Le Panthéon : Hugo méprisait l'architecture de ce « Saint-Pierre de Rome mal copié », mais ce sont ses funérailles nationales qui, en 1885, consacrèrent définitivement le lieu à l'immortalisation des grands hommes de la nation. Auparavant, les furieuses batailles que se livrèrent « laïcards » et cléricaux autour de ce symbole avaient fait connaître au temple dix changements d'affectation en moins d'un siècle. À l'origine, Clovis, premier roi catholique, avait choisi la montagne Sainte-Geneviève comme mausolée de la dynastie mérovingienne. Il y fit édifier la basilique des Saints-Apôtres, pour accueillir sa sépulture et celle de

l'Église en 1851, jusqu'à ce que la IIIᵉ république décide la panthéonéisation de Hugo. À chaque changement d'affectation, anathèmes, insultes, exaltations des valeurs républicaines et chrétiennes sont échangés, imprimés, hurlés au Parlement et dans la rue.

Ironie suprême, c'est un directeur des Beaux-Arts catholique et monarchiste militant, Philippe de Chennevières, qui sera le concepteur du décor intérieur

dédié « aux grands hommes de la nation »

son amie sainte Geneviève. En 1744, malade, Louis XV fait le vœu de consacrer une nouvelle église à la sainte patronne de Paris en cas de rémission. La guérison étant advenue, il charge l'architecte Soufflot de mettre en œuvre le projet. Les travaux durent, Louis XV meurt, puis Soufflot, la Révolution abat la monarchie, l'église n'est toujours pas consacrée. Avide de temples républicains, l'Assemblée constituante décide en 1791 de transformer l'édifice en panthéon où l'on béatifiera laïquement les grands hommes de la nation, saints patrons de la nouvelle société, avatars de ceux à qui les églises de toute la chrétienté furent consacrées pendant presque deux millénaires. Un mausolée doit être sombre : on mure les baies et les portails latéraux. Les clochers sont arasés, un nouveau fronton est installé, où l'on inscrit « Aux grands hommes, la patrie reconnaissante », la croix sommitale est remplacée par une sculpture. Dans les années qui suivent, les cendres de Voltaire, Le Peletier de Saint-Fargeau, Rousseau et Marat — que l'on expulsera quelque temps plus tard — sont transférées au Panthéon. En 1806, Napoléon Iᵉʳ rend le monument au culte, excepté la crypte, dévolue aux dignitaires et généraux de l'Empire. En 1816, Louis XVIII restitue l'intégralité du Panthéon à la fonction religieuse. En 1830, Louis-Philippe rétablit le temple républicain, puis c'est Napoléon III qui le redonne à

final. Il entendait « mêler l'histoire de sainte Geneviève, patronne de Paris et celle des origines chrétiennes de la France ». Cette volonté — fort peu républicaine — fut exaucée grâce aux peintures murales des artistes officiels : Puvis de Chavannes, Jean-Paul Laurens, Jules-Élie Delaunay, Alexandre Cabanel et quelques autres. Cette colossale bande dessinée peinte et légendée sur toiles marouflées se révèle être un réjouissant condensé de la mythologie de la ville. Toute bonne mythologie commence par un sacrifice : saint Denis, premier évangélisateur de Paris, ramasse sa tête tranchée dans la première toile que l'on découvre. Suit le baptême de Clovis, qui fit de Paris la capitale de la France, puis quelques batailles. La sauvagerie menace en permanence toute culture : voici les hordes d'Attila. Face à elles, la force tranquille de sainte Geneviève, qui apparaît aux différentes étapes de sa vie, de son enfance à sa mort, une passion où le peuple parisien communie autour de la sainte. Ailleurs, c'est le couronnement de Charlemagne, puis la vierge guerrière Jeanne d'Arc : on suit sa vie du bois de Domrémy au bûcher de Calais. Enfin, on n'a pas oublié saint Louis, le Capétien thaumaturge qui offrit à la France la couronne d'épines du Christ.

À équidistance de ces fresques qui mêlent allégrement Histoire, légendes, mythes, inventions et talents artistiques, le rationnel pendule de Foucault s'obstine à démontrer que la Terre tourne sur elle-même. Mais il est suspendu à la coupole du monument républicain, où trônent de bien peu révolutionnaires occupants dans une *Apothéose de sainte Geneviève* : Clovis et Clotilde, Charlemagne, saint Louis, Louis XVIII et… déjà au paradis, Louis XVI et Marie-Antoinette ! La coupole étant très haute, personne ne se soucia par

par une façade Renaissance. C'est là que furent conservées les reliques de sainte Geneviève jusqu'à la Révolution. La patronne de Paris révérée par Clovis fit l'objet d'un culte collectif qui dura jusqu'à la Grande Guerre. En cas d'épidémie, de conflit, d'inondation, les Parisiens faisaient appel à son intercession en processionnant derrière la châsse contenant ses reliques miraculeuses. En 1793, impatients de rompre avec

est devenu le symbole de l'esprit républicain.

la suite de corriger le blasphème antirépublicain. Nos grands hommes sont donc panthéonisés sous les auspices du roi serrurier à qui l'on a fourbement livré les clés de saint Pierre.

Accompagné d'un guide, je grimpe vers la galerie du dôme par des escaliers dérobés. La jeune femme me montre les dégâts résultant de l'usage du fer dans les armatures du bâtiment. Nous nous hissons ensuite jusqu'au lanterneau qui coiffe les trois coupoles superposées du dôme. La montagne Sainte-Geneviève est balayée par un vent froid. Le quartier Latin est à nos pieds, le dôme de la Sorbonne, son observatoire, celui du Collège de France, la Seine, Notre-Dame. De l'autre côté, le quartier Mouffetard et le n'importe quoi architectural du quartier Italie. Mais comment ne pas admirer l'élégance toute gothique de la tour Clovis qui domine le lycée Henri-IV, juste au-dessous de nous ? ou les grâces de jeune fille en fleur de Saint-Étienne-du-Mont, à côté de la raideur pontifiante du Panthéon ?

La tour Clovis est l'unique relique architecturale de la puissante abbaye Sainte-Geneviève, rivale universitaire aux XIe et XIIe siècles de l'école canoniale de Notre-Dame. Toute proche, Saint-Étienne-du-Mont est érigée à partir de 1492 en style gothique et complétée en 1610

tous les symboles et croyances liés à l'Ancien Régime, un groupe de révolutionnaires brise le tombeau, s'empare des ossements, les brûle et jette les cendres à la Seine. Quelques petites reliques de Geneviève avaient été distribuées dans d'autres églises et abbayes : en 1802, elles sont ramenées pour partie à Notre-Dame et pour le reste (un doigt de la sainte !) à Saint-Étienne. Leur retour donne lieu à une procession mémorable qui rassemble des milliers de croyants. Depuis, le doigt de Sainte-Geneviève est conservé dans l'une des chapelles de Saint-Étienne, au-dessous d'une fresque figurant la procession de 1802. Le dernier miracle attribué à la sainte date du 6 septembre 1914. Elle aurait entendu les supplications des Parisiens et fait que la capitale ne fût pas envahie par les armées allemandes, ni ce jour-là, ni pendant toute la guerre. La deuxième guerre n'est pas évoquée…
De la tour Clovis, comme du sommet du Panthéon, on aperçoit le dôme romain du Val-de-Grâce, distant d'un demi-kilomètre… toujours sur le chemin de Saint-Jacques. On verra que, décidément, l'histoire de Paris n'est pas avare de miracles ou de grâces « divines ».

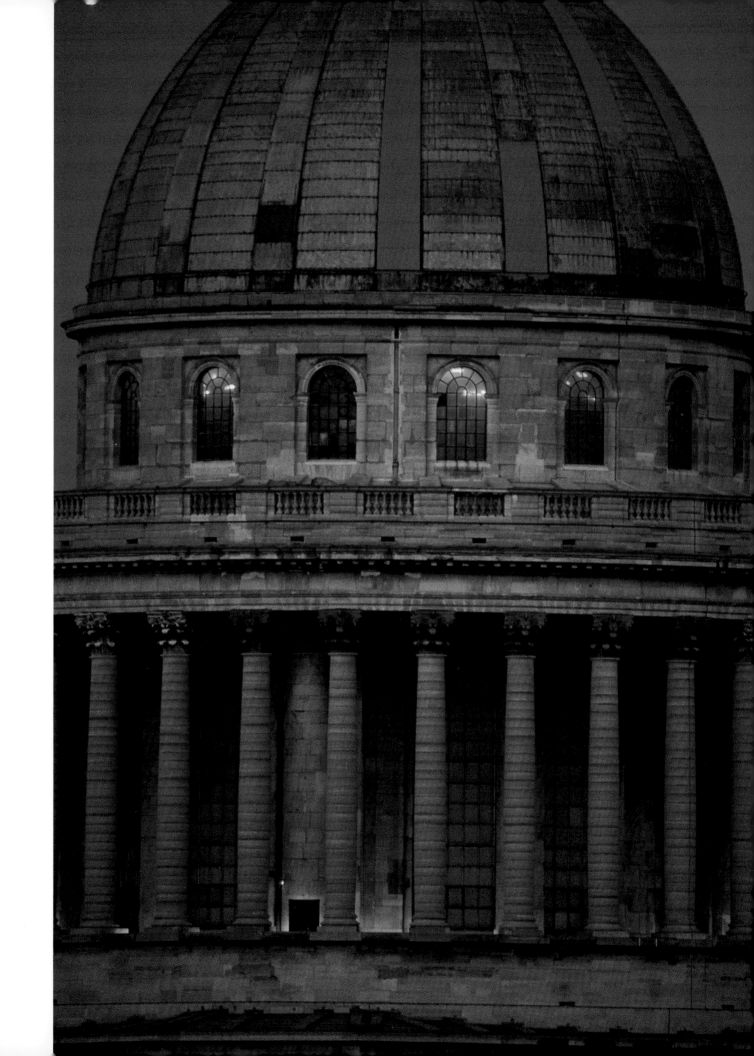

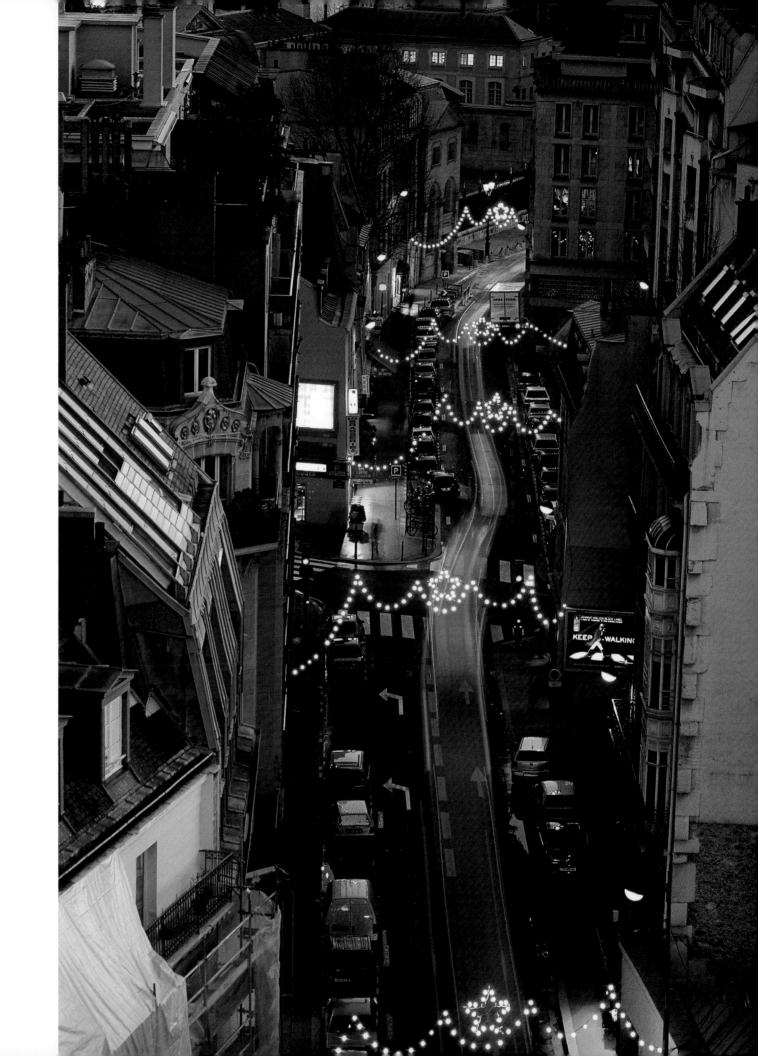

DE SAINT-SÉVERIN-SAINT-NICOLAS À SAINT-JACQUES-DU-HAUT-PAS

162

La cathédrale Notre-Dame de Paris et le quartier Latin.
Vue depuis le clocher de l'église Saint-Séverin-Saint-Nicolas.

164

Le quartier Latin.
Vue depuis l'église Saint-Séverin-Saint-Nicolas.

166

Le musée du Louvre, la Seine et les ponts.
Vue depuis le clocher de l'église Saint-Séverin-Saint-Nicolas.

166

Sur les toits.
Vue depuis l'église Saint-Séverin-Saint-Nicolas.

172

La colline du Panthéon.
Vue depuis le clocher de l'église de la Sorbonne.

174

La cour de la Sorbonne et le quartier Latin.
Vue depuis le clocher de l'église de la Sorbonne.

174

Paris.
Vue depuis le Palais de Justice.

175

La tour Eiffel.
Vue depuis l'observatoire astronomique de la Sorbonne.

176

La cathédrale Notre-Dame de Paris et l'observatoire astronomique de la Sorbonne.
Vue depuis le clocher de l'église de la Sorbonne.

183

La tour Eiffel et les Invalides.
Vue depuis la tour Clovis.

184

La Sorbonne et sa chapelle.
Vue depuis la tour Clovis.

186

Paris.
Vue depuis le lanterneau (intérieur du dôme) du Panthéon.

187

La place du Panthéon et la tour Eiffel.
Vue depuis le Panthéon.

188

La ligne des églises, le Sacré-Cœur, la Sainte-Chapelle, les églises Saint-Séverin-Saint-Nicolas et Saint-Eustache.
Vue depuis le Panthéon.

194

La rue Saint-Jacques et le dôme de l'église de la Sorbonne.
Vue depuis l'église Saint-Jacques-du-Haut-Pas.

194

Le clocher de l'église de l'hôpital du Val-de-Grâce.
Vue depuis le clocher de l'église Saint-Jacques-du-Haut-Pas.

195

La rue Saint-Jacques (chemin de Compostelle).
Vue depuis le clocher de l'église Saint-Jacques-du-Haut-Pas.

196

Le clocher de l'église de l'hôpital du Val-de-Grâce.
Vue depuis le clocher de l'église Saint-Jacques-du-Haut-Pas.

167

Le quartier Latin et Paris.
Vue depuis l'église Saint-Séverin-Saint-Nicolas.

168

Une pierre tombale ayant servi à la construction des hauteurs de l'église Saint-Séverin-Saint-Nicolas.

169

Les toits du quartier Latin.
Vue depuis l'église Saint-Séverin-Saint-Nicolas.

169

La Seine.
Vue depuis l'église Saint-Séverin-Saint-Nicolas.

170

La Sainte-Chapelle, l'église Saint-Eustache et le Sacré-Cœur.
Vue depuis le clocher de l'église Saint-Séverin-Saint-Nicolas.

TOUR CLOVIS

178

La cathédrale Notre-Dame de Paris.
Vue depuis la tour Clovis.

179

Le Panthéon.
Vue depuis la tour Clovis.

179

L'église Saint-Ambroise.
Vue depuis la tour Clovis.

180

Le cloître de l'église Clovis, partie intégrante du lycée Henri-IV.
Vue depuis la tour Clovis.

182

Le cloître de l'église Clovis fait partie intégrante du lycée Henri-IV.
Vue depuis la tour Clovis.

189

La chapelle de l'université de la Sorbonne et le quartier des grandes écoles.
Vue depuis le Panthéon.

189

La tour Clovis, le lycée Henri-IV et les vestiges de l'église Sainte-Geneviève.
Vue depuis le Panthéon.

SAINT-ÉTIENNE-DU-MONT

190

Le Panthéon.
Vue depuis le clocher de l'église Saint-Étienne-du-Mont.

SAINT-JACQUES-DU-HAUT-PAS

192

Le dôme de l'église du Panthéon.
Vue depuis le clocher de l'église Saint-Jacques-du-Haut-Pas.

193

Le dôme de l'église du Panthéon.
Vue depuis le clocher de l'église Saint-Jacques-du-Haut-Pas.

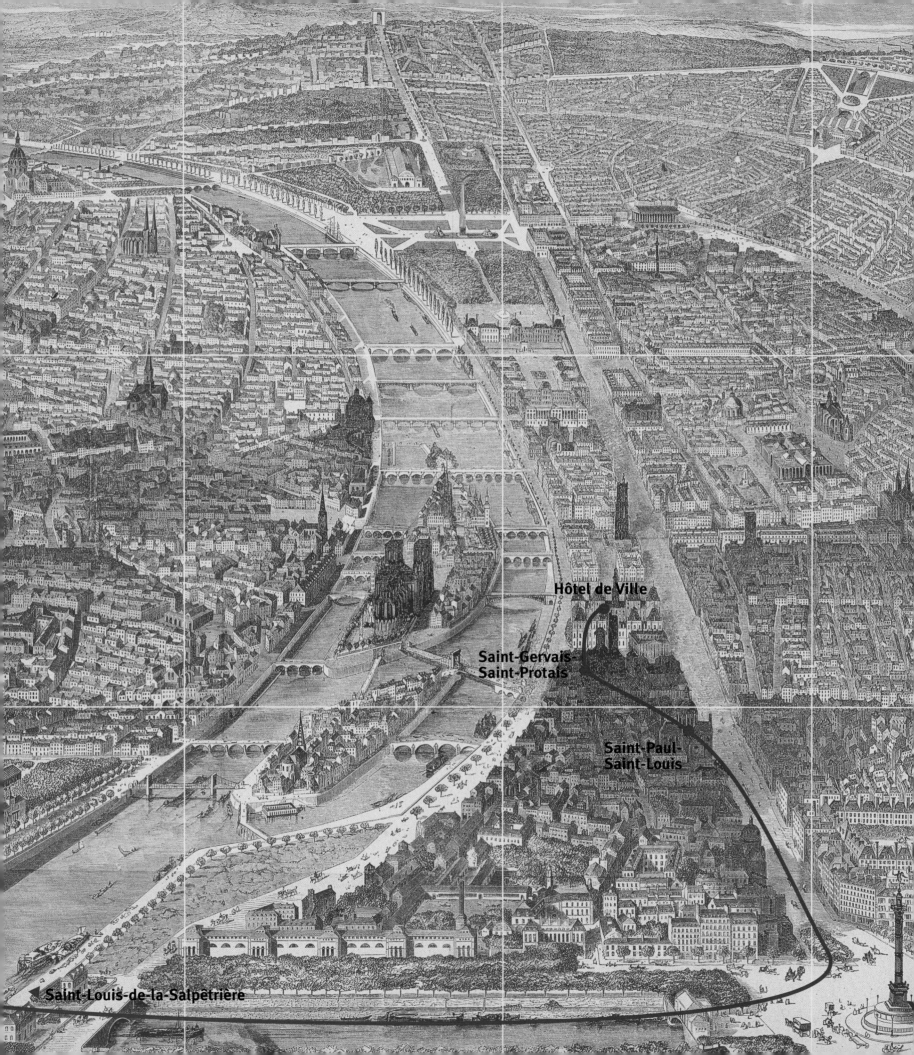

Hôtel de Ville

Saint-Gervais-
Saint-Protais

Saint-Paul-
Saint-Louis

Saint-Louis-de-la-Salpêtrière

Chef-d'œuvre de l'architecture classique « à la française » miraculeusement épargné par la fureur anticléricale de la Révolution, l'hôpital du Val-de-Grâce doit son excellent état de conservation à sa dévolution au service de santé des armées. Jusqu'à ce jour, les militaires — qui ont des moyens — l'ont entretenu comme aucun autre bâtiment conventuel ou hospitalier à Paris. En 1637 éclate l'affaire des

Dehors, c'est grand soleil. Les hallebardiers

« lettres espagnoles » : Anne d'Autriche, épouse de Louis XIII, est accusée d'espionnage au profit de son frère Philippe IV, roi d'Espagne, par les services du bon cardinal de Richelieu. Son roi de mari, qui la délaissait déjà, n'en sera que plus enclin à se pencher sur le corset des nombreuses candidates — voire candidats, à en croire Tallemant de Réaux — au poste de favorite de Sa Majesté. Sans héritier, désespérée, interdite de séjour dans la résidence royale de Saint-Germain, la reine se tourne vers la Madone pour qu'elle intercède en sa faveur auprès de Dieu le Père et fait le vœu de lui élever « un temple magnifique » s'il lui envoie un fils. Le 5 décembre 1637, alors que Louis XIII s'apprête à regagner le château de Saint-Germain après, croit-on, une visite à l'une de ses amies parisiennes, un violent orage s'abat sur la capitale. Il renonce au voyage et passe la nuit au Louvre, aux côtés d'Anne. Neuf mois plus tard, le 5 septembre 1638, la reine donne le jour à Louis « Dieudonné », le futur Roi-Soleil.

La mort de Richelieu en 1642 et celle de Louis XIII en 1643 vont donner à la reine les moyens de réaliser sa promesse. Tutrice du jeune Louis XIV, elle devient en effet régente du royaume et dispose du budget de l'État. Le 1er avril 1645, huit ans après la prononciation du vœu d'Anne d'Autriche, la première pierre du futur couvent de bénédictines est posée par l'enfant roi.

Quatre architectes, les meilleurs de l'époque, se succéderont pour en diriger les travaux : Mansart, Lemercier, Le Muet puis Le Duc. Ce n'est qu'en 1667, un an après le décès d'Anne, que les travaux s'achèveront. La congrégation des sœurs bénédictines du Val-de-Grâce-de-Notre-Dame-de-la-Crèche s'y était installée depuis plusieurs années ainsi que la reine, qui venait là pour se « fortifier spirituellement » et, majesté oblige, pour y tenir sa cour. On imagine le défilé de présences séculières provoqué par l'afflux de courtisans mais, malgré cela, et grâce à un ingénieux système de couloirs, de passerelles et de grilles qui permettaient aux religieuses d'assister aux offices ou de se confesser sans se mêler aux gens du dehors, la « clôture » très stricte imposée par la règle de saint Benoît fut, paraît-il, toujours respectée. La chapelle du Val-de-Grâce, considérée comme l'église la plus décorée de France, a été construite sur le modèle de Saint-Pierre de Rome, de même que le Panthéon. Mais ici, les proportions « humaines » de l'ensemble évitent le sentiment d'oppression ressenti par certains au Vatican, et point de lourdeur comme plus tard au Panthéon.

Pour rejoindre la Salpêtrière, il faut quitter le chemin de Saint-Jacques. En 1656, Louis XIV en ordonna l'établissement sur l'emplacement du Petit Arsenal, qui renfermait de la poudre fabriquée à partir de salpêtre, d'où son nom. Le terrain était volontairement situé à l'écart de la ville. L'hôpital général de la Salpêtrière était initialement destiné à l'enfermement des mendiants et des enfants trouvés puis accueillera par la suite les filles de mauvaise vie, dont un grand nombre fut invité avec fermeté et billet d'aller simple à traverser l'Atlantique pour rejoindre trappeurs, bûcherons et autres

Juillet, au sommet de laquelle le *Génie de la Bastille* prend son envol, renferment une nécropole où sont conservés les ossements de « martyrs » des Trois Glorieuses de 1830 et de la révolution de 1848. Les restes des héros républicains furent prélevés dans une fosse commune proche de la Bibliothèque nationale. Quelques-unes des momies ramenées d'Égypte par Champollion qui n'avaient pas résisté au contact de

alignés sur l'arête de la façade de l'Hôtel de

chercheurs d'or esseulés et, ainsi, peupler le Québec (les « filles du roy »). La Salpêtrière renferma aussi les enfants de la noblesse trop turbulents (que quelques sans-culottes prirent plaisir à massacrer en 1792), et toutes sortes d'aliénés et convulsionnnaires qui y étaient abominablement traités. Au moment de l'érection des « hôpitaux », on estimait le nombre de mendiants et d'indigents parisiens à 40 000 personnes. Le désir d'« assainissement », qui se mua en pur et simple enfermement, ne donna pas naissance qu'à la Salpêtrière : naquirent ainsi les Invalides pour les vétérans mendiants, avec leur nef austère destinée aux soldats et l'espataragonflante chapelle royale ; les hôpitaux des enfants trouvés de l'île de la Cité et du faubourg Saint-Antoine, les Incurables (futur hôpital Laënnec), etc. Au XIXᵉ siècle, la Salpêtrière accéda enfin à une vocation plus curative. Les autres hôpitaux, initialement éloignés du centre, soit pour éviter le contact entre mendiants et « honnêtes gens », soit par peur des contagions, furent peu à peu rattrapés par l'extension de la capitale, qui était depuis longtemps aussi capitale de la spéculation immobilière.

Sourd aux tracas automobiles de la place, le génie brandit les chaînes brisées du despotisme et le flambeau de la liberté. Les fondations de la colonne de

l'air parisien y avaient aussi été ensevelies. Elles suivirent les dépouilles des révolutionnaires qui, n'y pouvant mais, partagent leur dernière demeure avec des notables égyptiens. La République est décidément malchanceuse en matière de symboles. Symbole de l'arbitraire despotique sur lequel, après le 14 juillet 1789, les Parisiens s'acharnèrent jusqu'à ce qu'il n'en demeurât plus une pierre, la prison de la Bastille était initialement l'un des points forts de l'enceinte de Charles V entreprise en 1365. Les nouvelles fortifications agrandissaient la partie de la ville située sur les anciens marais de la Rive droite. Leur tracé épouse en partie les actuels Grands Boulevards. La capitale comptait alors 275 000 habitants. Les jardins et autres lieux de maraîchage enfermés dans l'enceinte seront peu à peu rognés par les constructions et la ville s'étendra hors de l'enceinte, donnant naissance aux faubourgs. Le dôme romain de l'église baroque Saint-Paul-Saint-Louis révèle l'époque de sa construction : le XVIIᵉ siècle. Richelieu y célébrera sa première messe. Mᵐᵉ de Sévigné y assistera à tous les sermons qu'y donnait Bossuet pour l'avent et le carême. Les sans-culottes promèneront devant sa façade la tête du gouverneur de la Bastille. Les mêmes, ou d'autres, la pilleront. Victor Hugo, qui y fit baptiser sa fille Adèle, est le donateur de ses deux bénitiers en forme de coquillage.

Elle sera de nouveau pillée pendant les Trois Glorieuses et la Commune. Elle contient un chef-d'œuvre : la *Vierge de douleur* de Germain Pilon.

C'est saint Paul qui révéla à saint Ambroise, au cours d'une vision, le lieu où étaient ensevelis saint Gervais et saint Protais. Les deux saints jumeaux nés des amours de saint Vital et de la bienheureuse Valérie

tragique du 29 mars 1918, jour du vendredi saint, où un obus allemand tiré à deux cent kilomètres de là transperça le dôme et explosa dans l'église. Deux cents des fidèles rassemblés pour fêter Pâques furent tués. Diaphanes, presqu'angéliques, deux jeunes sœurs de la fraternité pénètrent dans le temple. Elles pressent le pas pour rejoindre la chapelle de la Vierge. C'est l'heure de l'Angélus.

Ville contemplent l'ancienne place de Grève.

furent martyrisés sous Néron. Trois cents ans plus tard, lorsque saint Ambroise exhuma leurs corps, ils « étaient dans le même état que s'ils venaient d'être ensevelis à l'heure même. Une odeur merveilleuse et extraordinairement suave émanait du tombeau », d'après la légende rapportée par Jacques de Voragine. Bien entendu, moult miracles se produisirent par la suite autour du mausolée qu'on leur édifia à Milan. Une église portant le nom des frères martyrs existait dans le quartier dès le VIe siècle. L'odeur de sainteté des jumeaux flotte dans leur temple et autour des frères et des sœurs de la Fraternité de Jérusalem, qui y ont élu domicile. La congrégation accueille pour un an ou plus les jeunes chrétiens qui désirent, sans devoir prononcer de vœux, suivre un temps une vie presque monastique. L'église actuelle a été vidée de ses chaises, remplacées par des tabourets aux lignes essentielles. Le geste ample, presque chorégraphique, les frères et les sœurs se prosternent, prient à même le sol. Ils chantent souvent, fort bellement. Les garçons portent des aubes grèges à larges manches, les filles des aubes bleu clair, cape et fichu blanc. Il y a un soupçon de monstration dans la théâtralité de leurs manières. Un couple de vieillards durs d'oreille visite l'église. Ils échangent leurs impressions à voix très haute. Le monsieur rappelle à la dame l'épisode

Dehors, c'est grand soleil. Les hallebardiers alignés sur l'arête de la façade de l'Hôtel de Ville me tournent le dos. Ils contemplent le théâtre d'innombrables exécutions publiques : l'ancienne place de Grève. En sus des exécutions, estrapades, écartèlements, décapitations et autres supplices infligés ici aux humains pendant des siècles, un rituel barbare s'y célébrait tous les 23 juin, pour la Saint-Jean-d'été. Cette nuit-là, on enfermait dans un sac ou dans un tonneau deux douzaines de chats que l'on hissait sur un arbre haut de vingt mètres. On l'enflammait et les animaux périssaient, immolés par le feu de la Saint-Jean. Les miaulements d'agonie des malheureux félins ravissaient Charles IX, paraît-il. La coutume choqua profondément le petit dauphin, futur Louis XIII, qui obtint en 1604 « la grâce des chats » et l'interdiction du rite.

La première pierre du premier Hôtel de Ville de Paris fut posée en 1553 par le prévôt des marchands de Paris Pierre Viole. Le nouveau bâtiment remplaçait l'ancienne maison aux Piliers, achetée en 1357 par Étienne Marcel, prévôt de l'époque, pour le compte de l'assemblée des marchands. L'édifice fut incendié en 1871 et reconstruit sur le même modèle, en plus vaste, de 1872 à 1882, par l'inévitable Ballu.

DE SAINT-LOUIS-
DE-LA-SALPÊTRIÈRE
À L'HÔTEL DE VILLE

QUARTIER DE BERCY

204

L'hôpital
du Val-de-Grâce.
Vue depuis le toit
du ministère
des Finances.

SAINT-LOUIS-DE-LA-SALPÊTRIÈRE

206

Paris.
Vue depuis le clocher
de l'église Saint-Louis-
de-la-Salpêtrière.

QUARTIER SULLY MORLAND

207

Pont sur la seine à
Sully Morland.

207

Le centre de Paris,
les ponts de la Seine.
Vue depuis le clocher
de l'église de l'école
Massillon.

213

Le quartier du
Marais.
Vue depuis l'église
Saint-Paul-Saint-
Louis.

SAINT-GERVAIS-SAINT-PROTAIS

214

La cathédrale Notre-
Dame de Paris et les
bords de l'île de la Cité.
Vue depuis l'église
Saint-Gervais-Saint-
Protais.

216

Les toits de l'Hôtel
de Ville.
Vue depuis l'église
Saint-Gervais-Saint-
Protais.

216

Le quartier du Marais
et les gargouilles de
l'église Saint-Gervais-
Saint-Protais.

L'église Saint-Gervais-
Saint-Protais.

222

Le quartier du Marais
et l'église Saint-
Antoine.
Vue depuis l'église
Saint-Gervais-Saint-
Protais.

223

Le quartier du Marais
et la Seine.
Vue depuis l'église
Saint-Gervais-Saint-
Protais.

223

Le quartier du Marais
et les gargouilles.
Vue depuis l'église
Saint-Gervais-
Saint-Protais.

HÔTEL DE VILLE

224

La Seine, les quais,
la cathédrale Notre-
Dame de Paris,
le Panthéon et l'île
de la Cité.
Vue depuis le clocher
de l'Hôtel de Ville.

L'Hôtel de Ville et
la cathédrale
Notre-Dame de Paris.
Vue depuis le dôme
du Bazar de l'Hôtel
de Ville.

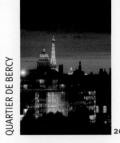

208

Le centre de Paris, les ponts de la Seine. Vue depuis le clocher de l'école Massillon.

209

La tour Eiffel et le dôme des Invalides au coucher du soleil. Vue depuis le toit du ministère des Finances.

210

Notre-Dame de Paris, l'île Saint-Louis et la tour Eiffel. Vue depuis le toit du ministère des Finances.

212

Vue depuis l'église Saint-Paul-Saint-Louis.

212

La tour Saint-Jacques. Vue depuis l'église Saint-Paul-Saint-Louis.

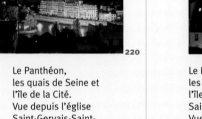

217

Le quartier du Marais. Vue depuis l'église Saint-Gervais-Saint-Protais.

218

Le quartier du Marais. Vue depuis l'église Saint-Gervais-Saint-Protais.

219

Les arcs-boutants de l'église Saint-Gervais-Saint-Protais.

220

Le Panthéon, les quais de Seine et l'île de la Cité. Vue depuis l'église Saint-Gervais-Saint-Protais.

221

Le Panthéon, les quais de Seine, l'île de la Cité, l'île Saint-Louis. Vue depuis l'église Saint-Gervais-Saint-Protais.

227

L'Hôtel de Ville. Vue depuis le dôme du Bazar de l'Hôtel de Ville.

228

L'église Saint-Eustache et les gardes (statues). Vue depuis les toits de Hôtel de Ville.

Oratoire du Louvre

Saint-Eustache

Saint-Germain-l'Auxerrois

Si écorcheurs et bouchers ont perdu leur église, la corporation des charcutiers, quant à elle, a toujours sa chapelle au bord des anciennes Halles, dans l'église Saint-Eustache, le temple du cœur commerçant de Paris, sinon de son ventre, depuis que Louis VI fonda le marché des Champeaux en l'an de grâce 1137. Une société de charcutiers, « Le Souvenir », l'a embellie d'un vitrail à la fin des années 1940 et, plus

Le soleil fait doucement miroiter la Seine.

récemment, d'une œuvre contemporaine commandée à John Armelder. Une fois l'an, à la Sainte-Cécile, une messe y est célébrée au nom de la Confédération nationale des charcutiers-traiteurs de France. Les Halles de Baltard, rasées à la fin des années 1960, ont été décrites par Zola, qui les fait contempler à Florent, le héros révolté du *Ventre de Paris*, d'une terrasse surplombant le quartier. « Que de rêves il avait faits, à cette hauteur, les yeux perdus sur les toitures élargies des pavillons ! Le plus souvent, ils les voyait comme des mers grises, qui lui parlaient des contrées lointaines. Par les nuits sans lune, elles s'assombrissaient, devenaient des lacs morts, des eaux noires, empestées et croupies. Les nuits limpides les changeaient en fontaines de lumière ; les rayons coulaient sur les deux étages de toits, mouillant les grandes plaques de zinc, débordant et retombant du bord de ces immenses vagues superposées. Les temps froids les roidissaient, les gelaient, ainsi que des baies de Norvège, où glissent des patineurs, tandis que les chaleurs de juin les endormaient d'un sommeil lourd. [...] Elles étaient sans cesse là. Il ne pouvait ouvrir la fenêtre, s'accouder à la rampe, sans les avoir devant lui, emplissant l'horizon. Il quittait les pavillons, le soir, pour retrouver à son coucher les toitures sans fin. Elles lui barraient Paris, lui imposaient leur énormité,

entraient dans sa vie de chaque heure. Cette nuit-là, son cauchemar s'effara encore, grossi par les inquiétudes sourdes qui l'agitaient. La pluie de l'après-midi avait empli les Halles d'une humidité infecte. Elles lui soufflaient à la face toutes leurs mauvaises haleines, roulées au milieu de la ville comme un ivrogne sous la table, à la dernière bouteille. Il lui semblait que, de chaque pavillon, montait une vapeur épaisse. Au loin, c'était la boucherie et la triperie qui fumaient, d'une fumée fade de sang. Puis, les marchés aux légumes et aux fruits exhalaient des odeurs de choux aigres, de pommes pourries, de verdures jetées au fumier. Les beurres empestaient, la poissonnerie avait une fraîcheur poivrée... » On ne saurait mieux évoquer ces mêmes remugles qui imprégnaient encore le quartier, lorsque, jeune homme, je parcourais les Halles la nuit, alors qu'elles étaient sur le point de fermer.

Libérée des constructions qui la serraient autrefois de trop près, Saint-Eustache domine aujourd'hui le Forum, au moins jusqu'à la prochaine reconstruction du quartier. Viollet-le-Duc avait jugé son architecture avec une extrême sévérité. D'autres, dont je fais partie, sont admiratifs du bel équilibre de son ensemble, de ses toitures aériennes et de la simplicité de son décor intérieur. Malgré les longs travaux de restauration en cours, l'église est très visitée. À l'arrière du bâtiment, une soupe populaire est servie plusieurs fois la semaine. À l'intérieur, les amateurs de littérature viennent se remémorer les leçons morales de La Fontaine qui y est enterré, les passionnés de Rubens s'interrogent sur le caractère autographe des *Pèlerins d'Emmaüs* dont on ne sait si ce fut le maître ou l'un de ses disciples qui l'exécuta, les amateurs d'art contemporain s'y

grands travaux, sa primauté de palais royal au profit de Versailles. La République en fit un musée dès 1793. Il ne cesse depuis d'accroître ses collections et ses espaces d'exposition. François Mitterrand l'a voulu temple de l'art et des antiquités. C'est un géant, une ville dans la ville, le plus grand musée du monde, le plus visité, le plus orgueilleux des monuments parisiens, le plus... dépourvu de clocher.

De mon point de vue privilégié, j'aperçois

pressent lors des expositions temporaires qu'y accueille le curé. Ils ne sont pas les derniers à apprécier *La Vie du Christ* de Keith Haring, dont l'artiste américain fit don à la Ville de Paris.

Face à Saint-Eustache, la colonne astronomique de Catherine de Médicis est adossée à l'ancienne halle au blé, devenue en 1899 la Bourse de commerce. De son dôme, on entrevoit les clochetons de l'Oratoire du Louvre. L'église fondée par les frères oratoriens en 1616 est temple de l'Église réformée depuis 1811, par la volonté de Napoléon Ier. En son temps, Louis XIII hésita à intégrer l'Oratoire, situé de l'autre côté de l'actuelle rue de Rivoli, à l'extension du Louvre. La famille royale et la Cour en avaient pratiquement fait leur chapelle au détriment de l'église Saint-Germain-l'Auxerrois, dont l'accès était particulièrement périlleux, la façade sud du Louvre étant séparée de Saint-Germain par un dédale de venelles qui, la nuit venue, se transformaient en coupe-gorge.

Le Louvre... Point fort des fortifications de Philippe Auguste, il ne devint palais royal, par intermittence, qu'à partir de Charles V. Auparavant, les rois résidaient dans l'île de la Cité. Rebâti en palais Renaissance par François Ier, résidence d'artistes depuis Henri IV, il perdit, avec Louis XIV qui y ordonna cependant de

C'est saint Germain d'Auxerre qui prédit à sainte Geneviève — qui n'était pas bergère, mais fille d'une famille fortunée — un glorieux destin. J'ai rendez-vous dans l'église qui lui est dédiée avec l'un des deux campanologues — experts en cloches — français, Régis Singer, enseignant de musique, organiste et carillonneur depuis son enfance. L'homme a recensé la quasi-totalité des cloches et clochers de la capitale, soit 981 cloches réparties dans 108 églises catholiques, 16 temples luthériens ou réformés, 4 églises orthodoxes, 18 mairies d'arrondissement, 20 « bâtiments divers », 25 établissements d'enseignement, 5 casernes, 5 établissements bancaires, 8 musées, un marché, et j'en passe. Armé de diapasons réglables qui servent à déterminer au 16e de demi-ton près les notes émises par les cloches, et d'un pied à coulisse qui permet d'en évaluer le poids après d'avisés relevés et de savants calculs, Régis Singer explore depuis plus de vingt ans la canopée immobile des hauteurs parisiennes. Un autre baron perché. C'est sur Marie, la cloche unique de l'église Saint-Germain, qu'il effectua son premier relevé. Entre-temps, il a affiné ses méthodes de calcul et les procédures d'expertise qu'il remet à la direction des Monuments nationaux. Il revient donc compléter son étude sur cette cloche que l'on ne sonne plus. Nous apprenons par le sacristain que le dernier homme qui ait fait vibrer la cloche était un fou qui avait escaladé le beffroi par des échafaudages. On dut faire appel à la force publique pour l'en déloger. Le campanologue peste contre « l'état dans lequel nous laissons notre patrimoine » alors que nous nous hissons au sommet du beffroi par des échelles vermoulues et badigeonnées de fiente. S'il est une espèce dominante dans la canopée des

le poids de cette cloche impossible à évaluer autrement : 1,067 tonnes. Régis Singer m'entraîne sur la terrasse supérieure de la tour d'où nous pouvons admirer le centre de Paris. Nous évoquons le massacre des protestants à la Saint-Barthélemy. Le signal de la tuerie, le 24 août 1572, fut donné par l'une des cloches de la tour, peut-être Marie. En homme attentif aux détails, M. Singer me précise que, contrairement à ce

l'Institut, le Pont-Neuf, l'Île du Vert-Galant.

clochers, c'est celle des pigeons. Ils pénètrent par la moindre percée, nidifient commodément, vivent et meurent dans combles et flèches, souillent absolument tout de leurs déjections. Nous atteignons enfin le haut du beffroi et la belle Marie. Elle fut fondue en 1527 par un artisan anonyme. M. Singer déchiffre l'inscription de la cloche écrite en caractères et avec l'orthographe de l'époque. Il y est spécifié que la cloche a été accordée sur les cloches préexistantes, « Germain » et « Vincent ». J'apprends que toute nouvelle cloche est accordée sur ses devancières. Le campanologue fait résonner Marie en différents endroits de sa robe vert-de-gris avec un petit marteau de caoutchouc, puis applique ses diapasons à plusieurs hauteurs. La « note au coup », dite fondamentale, est *mi* 3 ; les partiels à l'octave inférieure, *mi* 2 ; à la tierce mineure, *sol* 3 ; à la quinte juste, *si* 4 ; et à l'octave supérieure « nominale », *mi* 4. Voilà, d'après M. Singer, qui permet de conclure que nous avons affaire à « une cloche consonante à la structure tout à fait satisfaisante ». Viennent les mensurations relevées avec un mètre ruban et le pied à coulisse : 1,23 m de diamètre extérieur, 1,15 m de hauteur, 8,5 cm d'épaisseur « nominale » et 9 cm pour la largeur du bord. Des relevés complémentaires permettront au campanologue de me communiquer quelques jours plus tard

que l'on peut lire la plupart du temps, la cloche n'a pas été sonnée spécialement pour l'occasion, mais que son tintement programmé avait été choisi comme signal par les catholiques rassemblés autour du duc de Guise. Voilà qui me permettra de considérer Marie d'un œil plus clément lorsque nous redescendrons. Il est midi : le carillon du beffroi de la mairie du Ier arrondissement qui jouxte Saint-Germain-l'Auxerrois sonne *C'est mon ami*, air attribué à Marie-Antoinette. Le campanologue, qui apprit à carillonner dès l'âge de sept ans dans le beffroi de Douai, me fait entendre qu'il préfère — avec des arguments sans doute irréfutables, dont la manière d'en jouer, très physique — le carillon nordique à celui-ci qui, après tout, n'est pas si ancien, vu que le campanile qui le contient fut dessiné en 1861 par Ballu (encore lui) sur le plan des beffrois flamands. Je n'en apprécie pas moins le concert commandé par un ordinateur et, surtout, la position privilégiée d'où nous contemplons la cour Carrée du Louvre, le Pont-Neuf, l'île du Vert-Galant, l'Institut et la Samaritaine.

Le soleil fait miroiter la Seine. Je m'en réjouis. Ma dernière visite sera pour la Sainte-Chapelle : rien de tel qu'un Phébus rayonnant pour en apprécier les admirables vitraux.

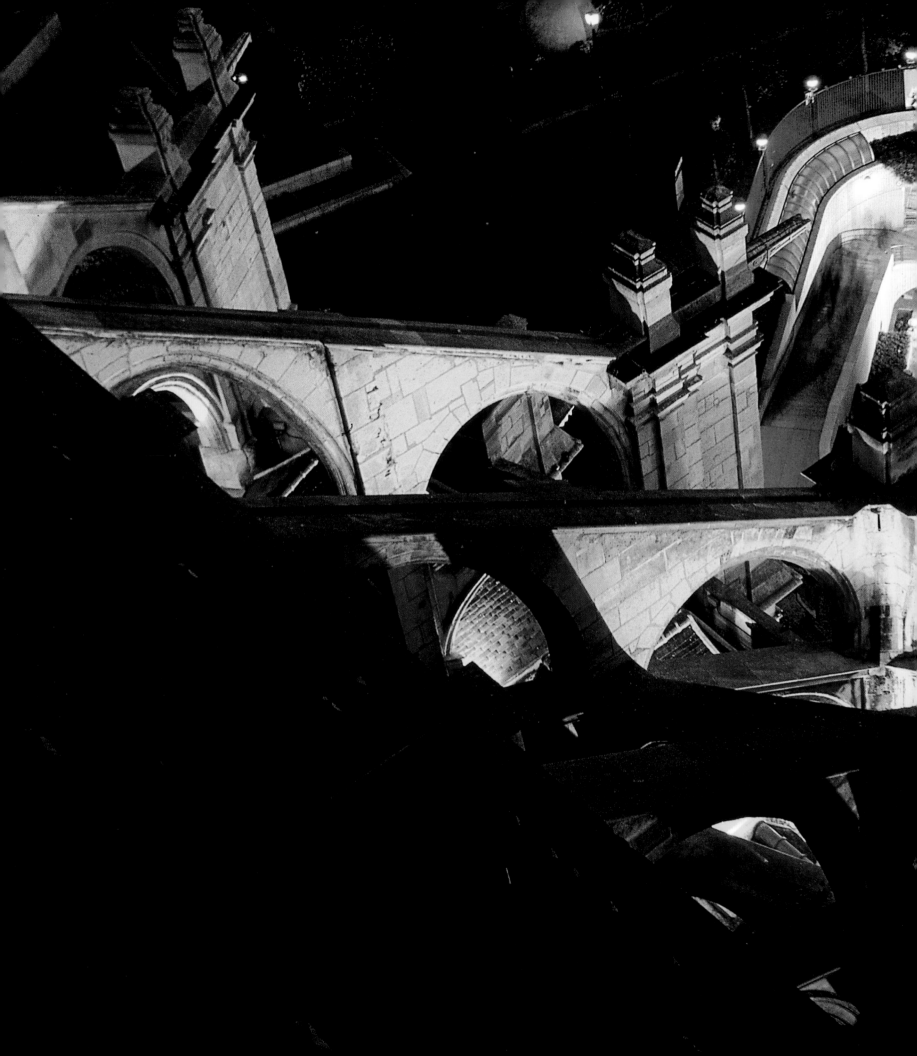

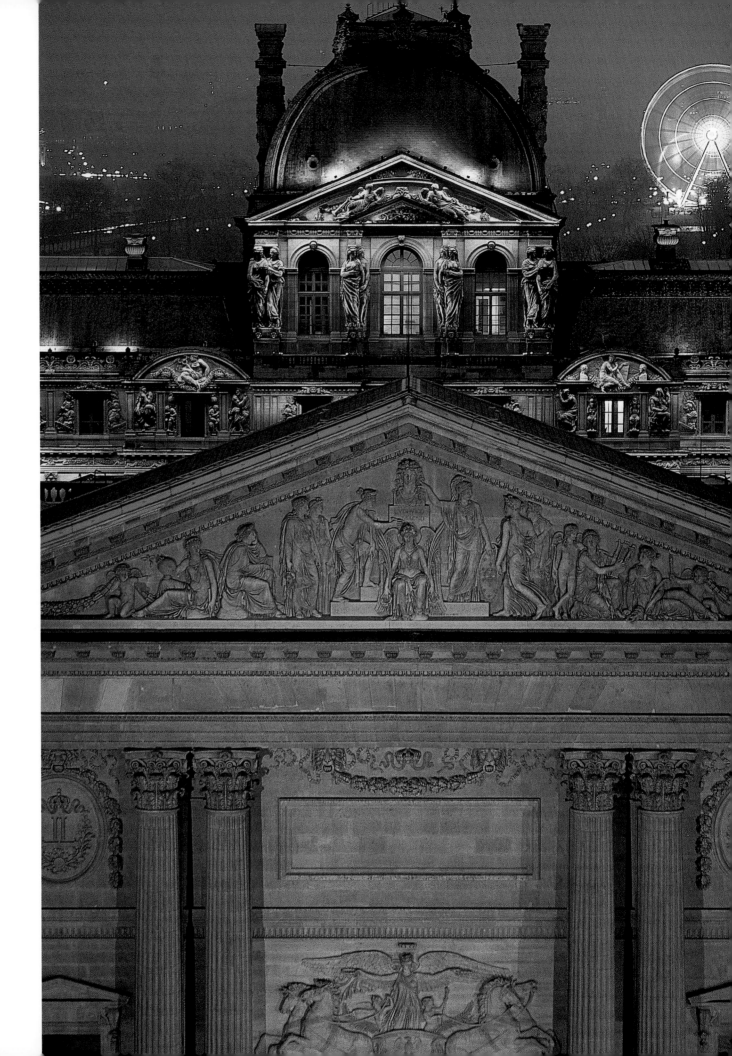

DE SAINT-EUSTACHE À SAINT-GERMAIN-L'AUXERROIS

SAINT-EUSTACHE

Le jardin du forum
des Halles et
la Bourse
de commerce.
Vue depuis l'église
Saint-Eustache.

236

Paris.
Vue depuis le clocher
de l'église
Saint-Eustache.

238

Paris.
Vue depuis l'église
Saint-Eustache.

239

Le jardin du forum
des Halles.
Vue depuis l'église
Saint-Eustache.

240

Paris.
Vue depuis l'église
Saint-Eustache

242

La façade de la Cour
carrée du musée du
Louvre.
Vue depuis le clocher
de l'église Saint-
Germain-l'Auxerrois.

247

La façade du musée
du Louvre et l'église
Saint-Germain-
l'Auxerrois.

248

La Seine, les ponts
et l'île de la Cité.
Vue depuis la terrasse
de la Samaritaine.

250

La cathédrale
Notre-Dame de Paris,
la Conciergerie,
le Palais de Justice.

251

QUARTIER DU CHÂTELET

La tour Eiffel,
l'Institut de France et
les ponts de la Seine.
Vue depuis
la gloriette du
Théâtre de la Ville.

252

Le jardin du forum
des Halles et la
Bourse
du commerce.
Vue depuis l'église
Saint-Eustache.

242

Les arcs-boutants
de l'église
Saint-Eustache.

243

Le musée Georges
Pompidou et le
forum des Halles.
Vue depuis l'église
Saint-Eustache.

244

Le musée du Louvre
et la tour de la mairie
du Ier arrondissement.
Vue depuis le clocher
de l'église Saint-
Germain-l'Auxerrois.

246

Le musée du Louvre
et l'église Saint-
Germain-l'Auvxerrois.
Vue depuis l'église
Saint-Eustache.

246

SAINT-GERMAIN-L'AUXERROIS

La place du Châtelet
et son ange, la
Conciergerie.

253

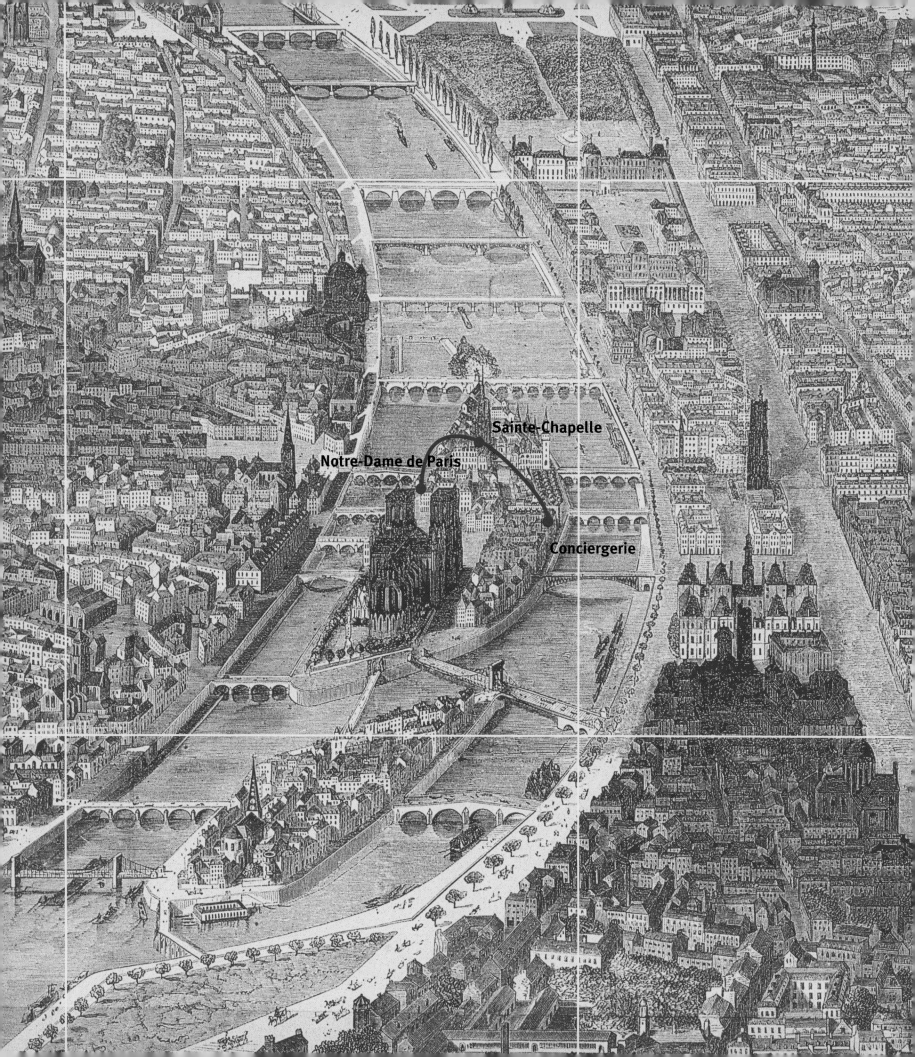

Dans *Les Mystères de Paris*, Eugène Sue décrit ainsi l'île de la Cité du XIXᵉ siècle : « Le 13 décembre 1838, par une soirée pluvieuse et froide, un homme d'une taille athlétique, vêtu d'une mauvaise blouse, traversa le pont au Change et s'enfonça dans la Cité, dédale de rues obscures, étroites, tortueuses, qui s'étend depuis le Palais de Justice jusqu'à Notre-Dame.

Ma dernière visite sera pour le bel écrin

Le quartier du Palais de Justice, très circonscrit, très surveillé, sert pourtant d'asile ou de rendez-vous aux malfaiteurs de Paris. N'est-il pas étrange, ou plutôt fatal, qu'une irrésistible attraction fasse toujours graviter ces criminels autour du formidable tribunal qui les condamne à la prison, au bagne, à l'échafaud !

Cette nuit-là, donc, le vent s'engouffrait violemment dans les espèces de ruelles de ce lugubre quartier, la lueur blafarde, vacillante, des réverbères agités par la bise se reflétait dans le ruisseau d'eau noirâtre qui coulait au milieu des pavés fangeux.

Les maisons, couleur de boue, étaient percées de quelques rares fenêtres aux châssis vermoulus et presque sans carreaux. De noires, d'infectes allées conduisaient à des escaliers plus noirs, plus infects encore, et si perpendiculaires, que l'on pouvait à peine les gravir à l'aide d'une corde à puits fixée aux murailles humides par des crampons de fer.

Le rez-de-chaussée de quelques-unes de ces maisons était occupé par des étalages de charbonniers, de tripiers ou de revendeurs de mauvaises viandes.

Malgré le peu de valeur de ces denrées, la devanture de presque toutes ces misérables boutiques était grillagée de fer, tant les marchands redoutaient les audacieux voleurs de ce quartier. »

Après une longue queue partagée avec touristes et justiciables, je passe les barrières magnétiques qui permettent d'accéder à l'ancienne résidence des rois de France et à la Sainte-Chapelle. Il est étonnant que le chef-d'œuvre du gothique rayonnant soit ainsi coincé dans l'enceinte du Palais de Justice de la capitale. Et qu'à l'époque de Sue, ce même palais ait été cerné par le lit fangeux du crime. Serait-ce une allégorie involontaire, de celles que l'Histoire s'amuse à nous soumettre pour mieux nous égarer ? C'est Louis IX, le plus mystique des rois de France, qui nous a légué ce joyau. Depuis longtemps, l'Église répugne à exhiber ou même à évoquer ce que beaucoup de ses docteurs considèrent comme le vecteur de déviations d'une pratique correcte de la religion : j'ai nommé les reliques. Au Moyen Âge, elles faisaient l'objet d'un intense commerce. Toute abbaye, toute église soucieuse d'attirer les fidèles — et leur argent — s'efforçait d'acquérir des reliques de saints auprès desquelles les ouailles venaient chercher un « mana » guérisseur, les paysans de bonnes pluies et de belles récoltes, les femmes stériles des enfants, les citadins une protection contre les épidémies, les catastrophes ou les guerres. Les rois eux-mêmes étaient crédités de pouvoirs : Georges Duby nous conte l'anecdote d'une femme qui arracha un fragment de la tunique de Philippe Ier pour ensuite en faire boire une décoction à son enfant malade. On construisait souvent les églises sur d'antiques lieux « de pouvoir » païens, dans le dessein de fidéliser les nouveaux convertis qui, pour certains, ne quittaient qu'à regret des lares familiers qu'ils savaient bienveillants. Bien entendu,

La somme qu'il versa pour leur achat était énorme : elle représentait la moitié de ce que lui rapportait annuellement le domaine royal. La Sainte-Chapelle est le reliquaire que commanda le roi pour ces objets qu'il vénérait. L'architecte Pierre de Montereau ou Montreuil, les artistes et les artisans se surpassèrent et livrèrent le chef-d'œuvre en 1248. Il fut consacré le dimanche de Quasimodo.

voulu par saint Louis : la Sainte-Chapelle,

les plus saints parmi les saints étaient supposés doués d'un pouvoir supérieur. Le lait de la Sainte Vierge ou quelques gouttes de ses larmes sont conservés dans bien des chapelles. Chargés d'or, de pierreries, les reliquaires étaient conçus par des artistes, façonnés par des orfèvres : leur richesse soulignait l'inestimable valeur de ce qu'ils renfermaient.

Saint Louis brûlait d'offrir à la France les plus précieuses des reliques : celles du Christ. À savoir la couronne d'épines, un fragment de la Croix, un éclat de la lance qui perça le flanc de Jésus, un bout de l'éponge qui avait servi à lui humecter les lèvres de vinaigre, un morceau de la pierre du Saint-Sépulcre et d'autres restes sacrés. Notons au passage, avec Calvin qui s'en gaussa, qu'au XVe siècle pas moins de quatorze couronnes d'épines furent en circulation. Les annales ne disent pas si le saint prépuce (on en a compté huit) prélevé lors de la circoncision du petit Jésus faisait partie de ces reliques byzantines. Le « vrai » saint prépuce et le « vrai » saint ombilic étaient conservés à Calcata, près de Viterbe. Ils ont été volés en 1983. Sachant que le Christ est monté au ciel, on comprend la valeur de ses restes corporels. Louis IX acquit ces reliques auprès de banquiers vénitiens qui les conservaient en gage d'un prêt concédé aux empereurs de Constantinople.

Saint Louis voulait un écrin translucide et coloré qui évoquât la lumière de la rédemption et du Messie. Il l'obtint : pour que les 750 m² de vitrail constituent l'essentiel des parois, les parties maçonnées de la Sainte-Chapelle sont réduites au strict minimum, la technique des arcs-boutants est poussée à ses limites extrêmes. Une cage de fer consolide l'ensemble. Exploit des maîtres forgerons : le fer a été préparé et travaillé de manière à contenir le moins de carbone possible et, ainsi, à ne pas rouiller. Huit siècles plus tard, deux tiers des vitraux sont d'origine et les armatures en fer n'ont pas bougé. Les vitraux de la chapelle racontent dans son intégralité l'Ancien Testament, livre par livre. Des épisodes de la vie de saint Louis et plusieurs batailles contre des infidèles ont été rajoutés, car il fallait renforcer l'ardeur des chrétiens pour que le plus grand rêve de Louis IX se réalisât : la libération de la Terre sainte. Les couleurs dominantes sont le bleu, obtenu par l'adjonction d'oxyde de cobalt dans la pâte de verre, le rouge, à base d'oxyde de cuivre, et le jaune, d'antimoine. On a récemment découvert que le pavement original était de marbre blanc, qui devait refléter les couleurs projetées par les vitraux. La Sainte-Chapelle a été pensée pour que le visiteur flotte dans la lumière du livre révélé. Mais seuls les invités du roi pouvaient contempler les reliques. Quant à les toucher… Lui-même avait un accès personnel au reliquaire. Une fois l'an, le vendredi saint, le peuple était convié à admirer — de la cour du Palais — la châsse où était conservée la couronne d'épines. Deux fenêtres avaient été ménagées pour que l'on pût l'exhiber. L'ordre royal mis à bas, les sans-culottes fondirent sur

Sur le chemin du retour vers Notre-Dame, je me dis qu'avec saint Louis, la France, « fille aînée de l'Église », n'a pas lésiné sur les moyens pour s'affirmer comme un pôle de la chrétienté. Au centre de la Cité, au centre de Paris, au centre de la France, sertie dans un anneau d'or et d'argent rehaussé d'émail bleu roi frappé de fleurs de lis, la couronne d'épines du Christ est toujours exposée à la vénération des fidèles chaque vendredi

dont les vitraux figurent la lumière divine.

la Sainte-Chapelle et en dispersèrent les reliques. Mais la précieuse couronne avait été cachée en un lieu secret. Elle est aujourd'hui conservée dans le trésor de Notre-Dame.

La boule située au-dessous de la croix qui termine la flèche de la Sainte-Chapelle contient quelques-unes des reliques rapportées de Venise. C'est la cinquième flèche érigée au sommet du reliquaire. On ignore à quoi ressemblait la première. Elle fut remplacée à la fin du XIVe siècle par un clocher, que l'on reconstruisit en 1460. Il fut détruit par un incendie en 1630. On lui substitua un autre clocher qui pencha dangereusement après qu'en 1738, on y eut ajouté cinq cloches. On l'abattit en 1793, d'autant qu'il était couvert de fleurs de lis. La décision d'ériger la flèche actuelle fut prise en 1837 et les travaux se conclurent en 1853. Le visage des rois que l'on voit de cet observatoire sont en réalité ceux des entrepreneurs qui furent en charge du chantier au Moyen Âge. Ils trouvèrent sans doute amusant de s'octroyer ainsi l'honneur d'être au plus haut du plus prestigieux des reliquaires qui ait jamais été conçu. Troublantes gargouilles que ces bouilles réjouies qui contemplent d'un air goguenard les répliques des reliques que l'on a disposées sur la flèche par ordre d'importance.

de carême et le vendredi saint. C'est la pièce maîtresse du trésor de Notre-Dame. Face à elle, dans une autre vitrine, quelques reliques plus modestes : les *ossibus sanctissimus* de sainte Barbe, saint Sébastien, saint Roch et sainte Agathe, et un tibia de saint Vincent. Au-dessus, tachée, rognée, la tunique de discipline de saint Louis suggère l'humble piété d'un souverain qui, plus qu'aucun autre, fut aimé et respecté, de son vivant comme après sa mort.

DE LA CONCIERGERIE
À NOTRE-DAME DE PARIS

CONCIERGERIE

260

La Seine, l'Hôtel
de Ville, le Théâtre
du Châtelet et la tour
Saint-Jacques.
Vue depuis le clocher
de la Conciergerie.

TRIBUNAL DE COMMERCE

262

La Conciergerie,
le Palais de Justice
et la Seine.
Vue depuis le dôme
du tribunal
de commerce.

264

La cathédrale
Notre-Dame de Paris.
Vue depuis le dôme
du tribunal
de commerce.

264

L'aigle de Napoléon
sur les toits du tribunal
de commerce.

PALAIS DE JUSTICE

265

La place Dauphine.

PALAIS DE JUSTICE

271

La montagne
Sainte-Geneviève et
les quais de Seine.
Vue depuis le Palais
de Justice.

271

La cathédrale
Notre-Dame de Paris
et la Sainte-Chapelle.
Vue depuis le Palais
de Justice.

SAINTE-CHAPELLE

272

Les ponts de la Seine
et les tours de la
Défense.
Vue de la flèche de la
Sainte-Chapelle.

274

La tour Eiffel,
la Seine et le Palais
de Justice.
Vue depuis la flèche
de la Sainte-Chapelle.

274

La Seine et le Palais
de Justice.
Vue depuis la flèche
de la Sainte-Chapelle.

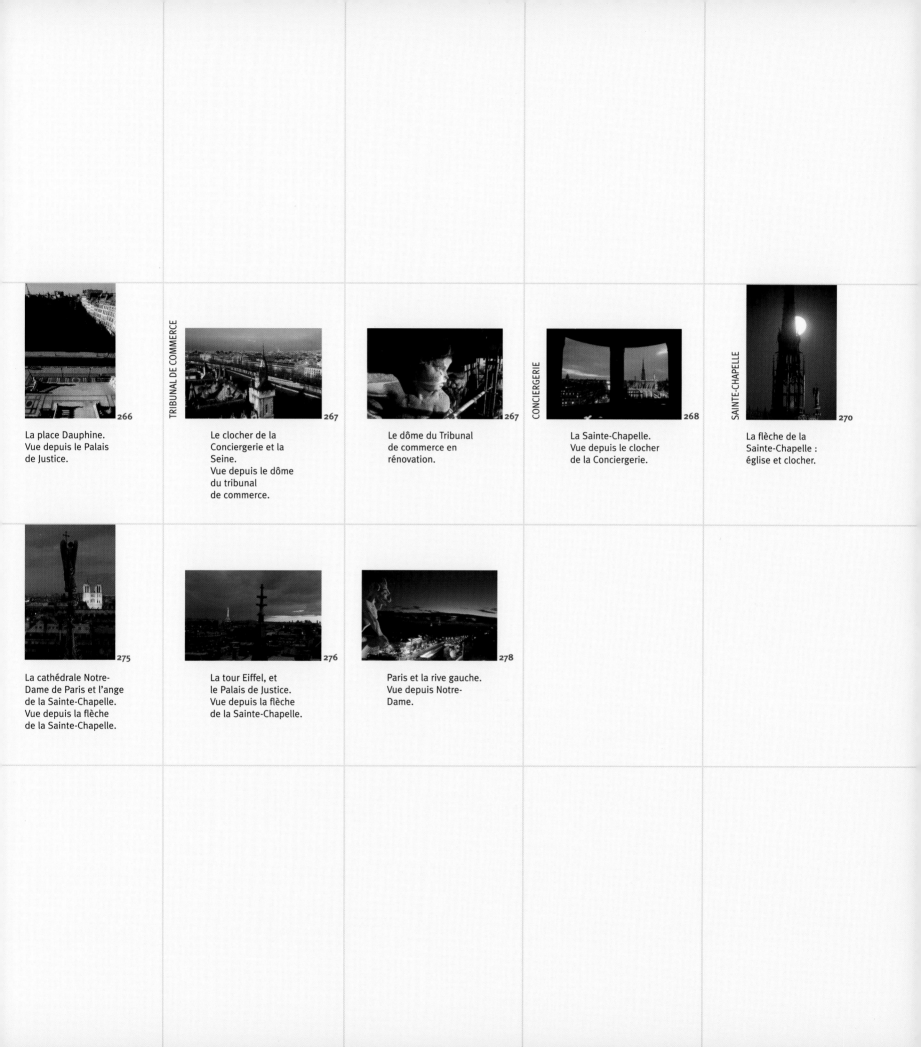

La place Dauphine.
Vue depuis le Palais
de Justice.

266

TRIBUNAL DE COMMERCE

Le clocher de la
Conciergerie et la
Seine.
Vue depuis le dôme
du tribunal
de commerce.

267

Le dôme du Tribunal
de commerce en
rénovation.

267

CONCIERGERIE

La Sainte-Chapelle.
Vue depuis le clocher
de la Conciergerie.

268

SAINTE-CHAPELLE

La flèche de la
Sainte-Chapelle :
église et clocher.

270

La cathédrale Notre-
Dame de Paris et l'ange
de la Sainte-Chapelle.
Vue depuis la flèche
de la Sainte-Chapelle.

275

La tour Eiffel, et
le Palais de Justice.
Vue depuis la flèche
de la Sainte-Chapelle.

276

Paris et la rive gauche.
Vue depuis Notre-
Dame.

278

INDEX

INFORMATIONS TECHNIQUES

Pour réaliser ces photos, je n'ai utilisé aucun filtre ou artifice. Mon matériel ? Tout simplement l'éclairage urbain, la lune, le soleil, un appareil photo et un trépied... Le vert du ciel n'est pas dû à un éclairage radio-actif : chaque type de lampe qui éclaire Paris possède sa propre dominante colorée. L'éclairage urbain, en se réfléchissant dans les nuages, nimbe la ville de cette lumière étrange. Le choix du film et les poses longues accentuent encore l'éclat des couleurs et les contrastes

COMPLÉMENTS D'INFORMATION SUR LE SITE DE MICHEL SETBOUN
www.setboun.com

CRÉDITS

Tous les plans de cet ouvrage ont été réalisés à partir de la gravure *Paris à vol d'oiseau*, in *Le Monde illustré*, 05 mars 1859, Paris. © Coll. Kharbine-Tapabor.

POUR LES PHOTOGRAPHIES DE LA TOUR EIFFEL
© SNTE – éclairage / conception Pierre Bideau

REMERCIEMENTS

Bien entendu, tout ce travail n'aurait pas été possible sans l'aide active de nombreuses personnes et institutions, dont :
la Mairie de Paris, et en particulier le Service de presse ainsi que le Service des monuments de la Ville de Paris ;
MONUM (Centre des monuments nationaux) ;
l'archevêché de Paris ;
les curés et les sacristains des différentes églises ;
l'université Paris IV- Sorbonne ;
l'observatoire astronomique de la Sorbonne ;
l'Institut de France ;
le Théâtre de la Ville ;
la Cour d'appel, et en particulier le Service des pompiers ;
la chambre des Notaires de Paris ;
le Service de presse inter-armées ;
L'Assistance publique des Hôpitaux de Paris ;
le ministère de l'Économie et des Finances,
la faculté de Médecine.

Je remercie également M. Agard, Mme Alba, M. Chalons, M. Degand, Mme Debedde, M. Duvignacq, Mme Guastavino, M. Metayer, M. Nozet, Mme Maillé, M. Sayous, M. Singer.

Je remercie enfin les magazines qui, en publiant mes reportages, m'ont aidé à mener ce projet à son terme.

Je n'ai pu citer tout le monde tant mon travail a été tributaire de la gentillesse et de la bonne volonté de tous : que chacun m'en excuse et soit cependant assuré de ma gratitude.

Conception graphique et réalisation
Christine Dodos-Ungerer

Photogravure Quadrilaser à Ormes
Achevé d'imprimer en août 2004
sur les presses de l'imprimerie Pollina à Luçon - n° L93616
Dépôt légal : septembre 2004
Imprimé en France